Nie potrafię
schudnąć

Dr Pierre Dukan

Nie potrafię
schudnąć

tłumaczenie
Catherine Walewicz-Bekka

Wydawnictwo Otwarte
Kraków 2008

Tytuł oryginału: *Je ne sais pas maigrir*

Copyright © **Flammarion, 2000**

Copyright © for the translation by **Catherine Walewicz-Bekka**

Projekt okładki: **Jarek Kozikowski**

Fotografia na okładce: **Copyright © by Stock.XCHNG / lusi**

Opieka redakcyjna: **Eliza Kasprzak-Kozikowska**

Opracowanie typograficzne książki: **Daniel Malak**

Adiustacja: **Janusz Krasoń / Studio NOTA BENE**

Korekta: **Anna Szczepańska / Studio NOTA BENE**

Łamanie: **Agnieszka Szatkowska-Malak / Studio NOTA BENE**

ISBN 978-83-7515-017-9

www.otwarte.eu

Zamówienia: Dział Handlowy, ul. Kościuszki 37, 30-105 Kraków
Bezpłatna infolinia: 0800-130-082
Zapraszamy do księgarni internetowej Wydawnictwa Znak,
w której można kupić książki Wydawnictwa Otwartego: www.znak.com.pl

Saszy i Mai,
Mai i Saszy,
moim dzieciom,
które ofiarowały mi drugie istnienie
w zamian za życie, które im dałem

Krystynie, mojej żonie,
bez której nie byłoby tej książki

Sylwii i Maurycemu,
którzy wciąż przemawiają
poprzez moje słowa

Spis treści

Słowo wstępne

Decydujące spotkanie
albo o człowieku, który lubił tylko mięso

Pierwszy raz zetknąłem się z otyłością jeszcze w czasach, kiedy jako bardzo młody lekarz internista pracowałem w dzielnicy Montparnasse i odbywałem specjalizację w Garches na oddziale neurologii pełnym sparaliżowanych dzieci.

Wśród moich pacjentów był tęgi wydawca, wesoły, nieprzeciętnie wykształcony, cierpiący na dokuczliwy rodzaj astmy, z której kilkakrotnie go wybawiałem. Pewnego dnia przyszedł do mnie i usadowiwszy się wygodnie w angielskim fotelu, który skrzypiał pod jego ciężarem, rzekł:

– Panie doktorze, zawsze byłem zadowolony z pańskiej opieki, mam do pana zaufanie, przychodzę dziś prosić, aby mnie pan odchudził.

Wiedziałem wówczas o żywieniu i otyłości tylko tyle, ile mnie nauczono na studiach, a sprowadzało się to do proponowania niskokalorycznych diet w postaci miniaturowych posiłków przypominających pod każdym względem normalne dania, tyle że w lilipucich porcyjkach, które wywoływały uśmiech na twarzach osób otyłych i skłaniały je do ucieczki. Ci hulajdusze, przyzwyczajeni do życia rozrzutnego w każdym tego słowa znaczeniu, dostawali gęsiej skórki na myśl o wydzielaniu sobie tego, co dawało im szczęście.

Plącząc się, usiłowałem się uchylić od tego zadania pod zgodnym z prawdą pretekstem, że brak mi dostatecznej wiedzy.

– O jakiej wiedzy pan mówi? Odwiedziłem wszystkich specjalistów w Paryżu, wszystkich najważniejszych „sprawców głodu". Od czasów, kiedy byłem nastolatkiem, zdążyłem już stracić ponad trzysta kilo i na nowo je odzyskać. Muszę się panu przyznać, że nigdy nie miałem silnej motywacji, a moja żona niechcący zrobiła mi dużą krzywdę, kochając mnie mimo moich kilogramów. Lecz dziś wpadam w zadyszkę, unosząc powieki, nie znajduję ubrań, które na mnie pasują, i tak naprawdę boję się o swoją skórę. – Na zakończenie zaś dorzucił zdanie, które zmieniło bieg mojego życia zawodowego. – Proszę przepisać mi dietę, jaką pan chce, proszę usunąć z niej wszystko, co pan chce, ale nie mięso, za bardzo lubię mięso.

Pamiętam, że odpowiedziałem mu odruchowo i bez wahania:

– W porządku, ponieważ tak pan kocha mięso, proszę przyjść do mnie jutro rano na czczo, zważę pana i przez pięć dni będzie pan jadł tylko mięso. Proszę jednak unikać mięs tłustych, wieprzowiny, jagnięciny i tłustych kawałków wołowych, jak antrykot i rozbratel z kością. Proszę wszystko piec na grillu, pić, ile się da, i wrócić na czczo za pięć dni, żeby się na nowo zważyć.

– Dobra, przyjmuję wyzwanie.

Wrócił pięć dni później. Stracił prawie pięć kilo. Nie wierzyłem własnym oczom, i on też nie. Trochę się zaniepokoiłem, ale był promieniejący, bardziej jowialny niż zwykle, opowiadał o odzyskanym dobrym samopoczuciu, o chrapaniu, które zniknęło, a moje wątpliwości rozproszył jednym zdaniem:

– Kontynuuję, czuję się bosko, to skutkuje, a przy tym smakuje mi.

I wyruszył w następną pięciodniówkę mięsną, obiecując poddać się badaniu krwi i moczu. Kiedy wrócił, był o kolejne dwa kilogramy lżejszy i rozradowany podsunął mi pod nos wyniki badania krwi, które przedstawiały się całkowicie normalnie: ani cukru, ani cholesterolu, ani kwasu moczowego.

W międzyczasie poszedłem do biblioteki wydziału medycyny, gdzie starannie przestudiowałem właściwości odżywcze mięs, rozszerzając zainteresowanie do całej rodziny białek, której najważniejszym przedstawicielem są mięsa.

Kiedy mój pacjent przyszedł po następnych pięciu dniach, nadal w wyśmienitej formie i lżejszy o kolejne półtora kilograma, poleciłem mu dorzucić do diety ryby i owoce morza, na co zgodził się z ochotą, bo mięso zaczęło mu się przykrzyć.

Kiedy po dwudziestu dniach waga pokazała utratę dziesięciu kilogramów, zrobił następne badanie krwi, którego wyniki były równie uspokajające co poprzednie. Poszedłem na całość – dorzuciłem mu pozostałe produkty białkowe, wprowadzając do diety przetwory mleczne, drób, jaja, a dla własnego spokoju poleciłem mu zwiększyć ilość napojów i przejść na trzy litry wody dziennie.

Znudził się w końcu i zgodził na dodanie warzyw, których przedłużający się brak zaczął mnie niepokoić. Wrócił pięć dni później, nie straciwszy ani grama. Był to dla niego argument, aby zażądać ode mnie powrotu do jego ulubionej diety i protein, które mu zasmakowały i w których cenił przede wszystkim całkowity brak ograniczeń dotyczących mięsa. Zgodziłem się, pod warunkiem że będzie stosował tę dietę na przemian z pięciodniowymi etapami, w których występować będą warzywa. Pretekstem było ryzyko braku witamin, w co nie uwierzył, ale się zgodził, zauważywszy u siebie zwolnione przechodzenie treści jelitowej na skutek niedoboru błonnika. W ten sposób narodziła się naprzemienna dieta proteinowa oraz moje zainteresowanie otyłością i wszelkiego rodzaju nadwagą. Zmianie uległ też kierunek moich studiów i życia zawodowego.

Po rozpoczęciu praktyki lekarskiej cierpliwie zalecałem tę dietę, stale ją ulepszałem, nadawałem jej kształt i stworzyłem coś, co obecnie wydaje mi się najlepiej dostosowane do bardzo specyficznej psychiki ludzi otyłych i najskuteczniejsze spośród pokarmowych diet odchudzających. Jednak z czasem doszedłem do pesymistycznego wniosku, że diety odchudzające, nawet te skuteczne i dobrze prowadzone, nie wytrzymują próby czasu. Ponieważ brak im stabilizacji, ich efekty ulatniają się, w najlepszym wypadku odpływając cicho i powoli, a w najgorszym zamieniając się w poważne przybranie na wadze będące wynikiem destabilizacji uczuciowej, stresu, silnych wzruszeń i różnych przykrości.

Chęć wzięcia udziału w tej wojnie ciągle przegrywanej przez większość odchudzających się doprowadziła mnie do skonstruowania muru obronnego przed przedwczesnym przybraniem na wadze, czyli kuracji polegającej na utrwaleniu utraconej wagi, ponieważ ponowne przybieranie na wadze powoduje zniechęcenie i zdegustowanie samym sobą, całkowite zaniedbanie lub ekstremalne utycie.

Ten etap obronny, mający na celu ponowne wprowadzenie, stopniowo, podstawowych składników dopuszczalnego żywienia wymyśliłem, aby powstrzymać odwetową reakcję organizmu pozbawionego zapasów. Żeby opanować na jakiś czas jego bunt i umożliwić zaakceptowanie tej fazy, ustaliłem ścisły czas trwania kolejnego etapu diety, proporcjonalny do utraty wagi, łatwy do obliczenia, wynoszący dziesięć dni na każdy utracony kilogram.

Ale po zwycięskim przejściu próby utrwalenia wagi stopniowy powrót przyzwyczajeń pod presją metabolizmu, a przede wszystkim nieuchronne pojawianie się potrzeby wynagrodzenia sobie wyrzeczeń i niepokojów tłustym, słodkim i obfitym jedzeniem, zdradziecko wdzierały się do bastionu.

Aby z tym skończyć, musiałem podjąć odpowiednie działania, trudne do zaakceptowania, bo polegające na zakazie ośmielającym się nosić nazwę „ostatecznego". Musiałem wprowadzić „hamulec" – znienawidzony i odrzucany *a priori* przez grubych, puszystych, mniej lub bardziej otyłych i tych z lekką nadwagą, ponieważ jest rozłożony w czasie i działa wbrew ich potrzebie spontaniczności oraz wolności. Nie do przyjęcia, chyba że ta wytyczna na całe życie, gwarantująca prawdziwą stabilizację wagi, dotyczyłaby tylko jednego dnia w tygodniu. Jeden dzień specjalnej diety, ustalony raz na zawsze, niewymienny, diety niepodlegającej negocjacjom, o piorunującym działaniu.

Wtedy odkryłem ziemię obiecaną, gwarancję odniesienia prawdziwego sukcesu, zdecydowanego i trwałego, zbudowanego na kwartecie sukcesywnych i coraz mniej intensywnych diet, które z czasem, nabierając doświadczenia, powiązałem między sobą, wyznaczając w ten sposób drogę, z której nie można zboczyć. Najpierw dieta uderzająca, ścisła, krótka, ale piorunująca, po której następuje dieta równomierna, naprzemienna, przeplatająca ostre restrykcje i pauzy, wsparta następnie przez etap utrwalania o długości proporcjonalnej do utraconej wagi. W końcu, aby ustabilizować na zawsze tę z trudem zdobytą wagę, środek zachowawczy, punktowy i skuteczny: jeden dzień „pokuty" w tygodniu pozwalający utrzymać osiągniętą wagę pod warunkiem że będziemy tej „pokucie" wierni przez resztę życia.

Zacząłem wreszcie uzyskiwać prawdziwe i trwałe efekty. Mogłem zaproponować nie tylko samą rybę, ale również wędkę, plan całościowy, który pozwoli otyłym się uniezależnić ode mnie, szybko schudnąć i samodzielnie utrzymać ster.

Poświęciłem dwadzieścia lat na dopracowanie tego pięknego narzędzia, z którego dotąd mogła korzystać tylko niewielka liczba osób. Teraz – dzięki tej książce – mogę go zaproponować szerszej publiczności.

Ten plan adresowany jest do tych, którzy spróbowali już wszystkiego, którzy chudli często – zbyt często – i którzy pragną przede wszystkim pewności, że w zamian za wytrwały wysiłek, na który się zgadzają na pewien czas, nie tylko schudną, ale też zachowają owoc swojej ciężkiej pracy i będą żyli swobodnie, z ciałem, jakiego chcą i do którego mają prawo. Napisałem tę książkę dla nich z nadzieją, że rozwiązanie, które im proponuję, stanie się kiedyś ich rozwiązaniem.

A tym, których już przekonałem, dzięki którym rozwinąłem skrzydła jako lekarz, moim pacjentom z krwi i kości, młodym i starym, mężczyznom i kobietom, a przede wszystkim pierwszemu z nich, mojemu otyłemu wydawcy, dedykuję tę książkę i tę metodę.

Narodziny czterotaktowej diety

Plan Protal

Minęło dwadzieścia pięć lat od spotkania z otyłym wydawcą, które zmieniło bieg mojego życia. Od tego czasu poświęciłem się zgłębianiu zasad żywienia i pomagam mniej lub bardziej otyłym schudnąć oraz ustabilizować wagę.

Jak większość moich kolegów lekarzy wykształcony zostałem w kartezjańskiej, bardzo francuskiej szkole umiaru i równowagi, szkole liczenia kalorii i diet niskokalorycznych, gdzie wszystko jest dozwolone, ale w umiarkowanych ilościach.

Kiedy wkroczyłem na ten teren, piękna teoretyczna konstrukcja oparta na szalonej nadziei, że możliwe jest przeprogramowanie otyłego oraz jego ekstrawagancji żywieniowych i zrobienie z niego urzędnika skrupulatnie liczącego kalorie, rozpadła się z trzaskiem, a to, co wypracowałem i obecnie stosuję, zrozumiałem i rozwinąłem w codziennym kontakcie z ludźmi z krwi i kości, z mężczyznami, lecz częściej z kobietami, w których kipiały wręcz pragnienie i potrzeba jedzenia.

Bardzo szybko zrozumiałem, że człowiek otyły nie jest nim przez przypadek, że jego łakomstwo i pozorna dezynwoltura, z jaką traktuje jedzenie, kamuflują potrzebę nagrody, którą realizuje, jedząc, i ta potrzeba jest nieodparta, ponieważ jej źródło tkwi w instynkcie samozachowawczym.

Jasne stało się dla mnie, że nie można trwale odchudzić otyłego, dając mu wyłącznie rady, nawet te rozsądne, oparte na argumentach naukowych, bo stawia go to w sytuacji, w której nie ma innego wyjścia, jak posłuchać lub uciec.

To, czego pragnie otyły, który postanowił schudnąć, czego oczekuje od terapeuty lub od metody, jest uniknięcie samotnego stawienia czoła karze, jaką stanowi dla każdej istoty żywej rozmyślna rezygnacja z zachowania gwarantującego jej utrzymanie się przy życiu.

Szuka pochodzącej z zewnątrz siły, kogoś, kto idzie przed nim i wydaje polecenia, polecenia i jeszcze raz polecenia, bowiem czymś, czego najbardziej nienawidzi i czego najzwyczajniej nie potrafi, jest samodzielne zadecydowanie o dniu, godzinie i sposobach umartwiania się.

Każdy otyły przyzna się bez wstydu – dlaczego miałby się wstydzić? – do słabości, a nawet pewnej niedojrzałości związanej ze swoją wagą. Znałem wiele otyłych kobiet i wielu mężczyzn z różnych warstw społecznych, ludzi prostych i z wyższych sfer, decydentów, bankierów, a nawet polityków, osoby inteligentne, błyskotliwe, czasem wręcz wybitne, ale wszyscy siadający naprzeciwko mnie mówili o swojej zadziwiającej słabości wobec jedzenia, której ulegali nawet wbrew swemu ciału niczym łakome dzieci.

Nie ulega wątpliwości, że większość z nich od najwcześniejszego dzieciństwa w tajemnicy budowała drogę łatwej ucieczki w jedzenie, co pomagało rozładować nadmiar napięcia, stresów oraz innych nieprzyjemnych doznań, i żadne rozsądne, logiczne i odpowiedzialne zalecenie nie pomoże, a jeśli nawet – to nie na długo – oprzeć się tej potężnej presji.

W czasie trzydziestoletniej praktyki obserwowałem wciąż pojawiające się nowe diety, które poruszały opinię publiczną i zdobywały na jakiś czas rozgłos, utwierdzając mnie tylko w moim przekonaniu. Naliczyłem ich dwieście dziesięć od początku lat pięćdziesiątych. Niektóre z nich, spopularyzowane w książkach, jak dieta Atkinsa, Scarsdale'a, Montignaca czy program Weight Watchers, były światowymi bestsellerami wydanymi w milionach egzemplarzy, i wszystkie uświadomiły mi, jak entuzjastycznie otyli przyjmują prace zawierające ścisłe nakazy, w tym również drakońską, absurdalną, a wręcz niebezpieczną dietę Mayo Clinic, słynnej kliniki amerykańskiej, prawdziwą dietetyczną niedorzeczność z dwudziestoma jajami tygodniowo, która jednak nadal jest skrycie w obiegu wbrew jednogłośnej krytyce wszystkich dietetyków świata.

Analiza tych diet i powodów ich niebywałego sukcesu, codzienna praktyka lekarska i słuchanie osób otyłych, obserwowanie siły ich determinacji w niektórych momentach życia i niezwykłej łatwości do zniechęcania się w przypadku braku szybkich i proporcjonalnych do włożonego wysiłku rezultatów, przekonały mnie, że:

Otyły pragnący schudnąć potrzebuje diety, która rusza z impetem i wystarczająco szybko przynosi pierwsze efekty, aby wzmocnić i utrzymać motywację. Potrzebuje również precyzyjnych celów do osiągnięcia wyznaczonych przez kogoś innego niż on sam, a kolejne etapy diety należy zaplanować tak, aby mógł podsumować swoje wysiłki i porównać je z oczekiwanymi wynikami.

Większość spektakularnych diet, które pojawiły się w niedawnej przeszłości, posiadała ten skuteczny rozrusznik i przynosiła obiecywane rezultaty, niestety, zamieszczone tam rady, wytyczne i kolejne etapy kończyły się wraz z lekturą książki, pozostawiając odchudzonego otyłego sam na sam z pokusami, na śliskiej drodze, i wszystko zaczynało się od nowa.

Wszystkie te diety, nawet najbardziej oryginalne i pomysłowe w fazie początkowej, po osiągnięciu celu okazywały się dziwnie ubogie. Stosujący je ludzie zostawali z odwiecznymi dobrymi radami umiaru, zdrowego rozsądku i równowagi, za którymi nie byli w stanie pójść.

Żadna z nich nie znalazła sposobu na problemy pojawiające się w okresie po utracie kilogramów, kiedy minął już czas stosowania się do wszystkich tych prostych i skutecznych rad oraz nakazów, dzięki którym pierwsza faza diety zakończyła się sukcesem.

Otyły, który odniósł zwycięstwo i zeszczuplał, instynktownie przeczuwa, że nie jest w stanie samodzielnie utrzymać rezultatu swojego wysiłku. Wie też, że pozostawiony sam sobie przybierze na wadze, najpierw powoli, potem coraz szybciej i z taką samą siłą jak ta, która pozwoliła mu schudnąć.

Tęgi człowiek, który właśnie schudł dzięki konkretnym wskazówkom, pragnie zachować pamięć symbolicznej obecności, pomocnej dłoni, która mu towarzyszyła i kierowała nim w czasie odchudzania. Potrzebuje wystarczająco prostego, konkretnego, skutecznego i niefrustrującego wskazania, do którego mógłby się stosować do końca życia.

Brak satysfakcji w przypadku większości modnych kuracji odchudzających, zadowalających się olśniewającym zwycięstwem bez żadnych planów na przyszłość, przekonanie o nieskuteczności diet niskokalorycznych i strategii rozsądnych zaleceń, które wbrew porażkom chcą przeobrazić hazardzistę w księgowego, doprowadziły mnie do stworzenia własnej diety odchudzającej, naprzemiennej kuracji proteinowej, a lata praktyki pozwalają mi uważać ją za najskuteczniejszą i najlepiej tolerowaną z aktualnych diet.

Naprzemienna dieta proteinowa składa się z dwóch połączonych ze sobą kuracji funkcjonujących na zasadzie silnika dwutaktowego. Po etapie diety uderzeniowej opartej na czystych proteinach następuje symetryczny etap oparty na proteinach i warzywach, chwila oddechu, która pozwala organizmowi przyzwyczaić się do utraty wagi.

Z przyczyn praktycznych nadałem tej diecie nazwę Protal, co jest skrótem powstałym z połączenia dwóch terminów prot. + al. (proteiny + naprzemienne, franc. *protéines* + *alternatives*).

Z czasem, kiedy zdałem sobie sprawę z niezwykłej łatwości moich pacjentów do rozluźniania się z chwilą osiągnięcia wyznaczonego celu i do ponownego przybierania na wadze, gdy brak im już jasnych wytycznych, za którymi mogliby podążać, zacząłem przeobrażać tę dietę w całościowy, globalny plan utraty wagi.

Plan ten bierze pod uwagę specyficzną psychikę osoby otyłej i zawiera wszelkie warunki niezbędne, by każda kuracja odchudzająca zakończyła się sukcesem. Przedstawię teraz pokrótce jego schemat.

Protal oferuje osobie pragnącej schudnąć zbiór jasnych wytycznych, prostą drogę, precyzyjnie określone etapy i cele do osiągnięcia, nie pozostawiając miejsca na żadne wątpliwości czy mylne interpretacje.

Pomijając głodówki i dietę opartą na proteinach w proszku, Protal wydaje mi się najbardziej skuteczną z diet opartych na naturalnych pokarmach. Uzyskiwana na samym początku utrata wagi jest wystarczająco duża i osiągnięta wystarczająco szybko, aby wzmocnić motywację i zachęcić do stosowania kuracji.

Protal jest dietą mało frustrującą, nie ma tu ważenia pokarmów i liczenia kalorii, pozostawia całkowitą wolność spożywania niektórych produktów żywnościowych.

Protal nie jest zwykłą dietą, lecz kompletnym planem utraty masy ciała, nierozerwalną całością, którą w całości przyjmujemy lub odrzucamy. Składa się z czterech następujących po sobie etapów:

Protal I

Faza ataku prowadzona za pomocą diety czysto proteinowej pozwala na efektowny start przynoszący niemal tak błyskawiczne rezultaty jak głodówka lub dieta oparta na proteinach w proszku, ale bez ich wad i niebezpieczeństw.

Protal II

Faza równomiernego rytmu utraty wagi opiera się na naprzemiennej diecie proteinowej, która pozwala szybko dojść do upragnionej wagi.

Protal III

Faza utrwalenia uzyskanej wagi i niedopuszczenia do pojawienia się efektu jo-jo, czyli szybkiego ponownego przybrania na wadze, to okres, w którym należy być szczególnie ostrożnym. Trwa dziesięć dni na każdy utracony kilogram.

Protal IV

Faza definitywnej stabilizacji opiera się na prostej zasadzie, niezbędnej, by zachować uzyskaną wagę: jeden dzień ścisłej diety proteinowej w każdy czwartek do końca życia. Zalecenie ostre i niepodlegające negocjacjom, ale wystarczająco skuteczne i precyzyjne, aby można je było zaakceptować na tak długi czas.

Teoria planu Protal

Zanim przejdę do szczegółów tego planu i drobiazgowo wyjaśnię zasadę jego działania oraz powody skuteczności, wydaje mi się konieczne zwięzłe przedstawienie czytelnikowi czteroczęściowej struktury planu Protal i sprecyzowanie, do kogo jest adresowany, a także jakie są ewentualne przeciwwskazania.

Protal jest nie tylko najpewniejszą i dającą najlepsze wyniki kuracją odchudzającą. To plan o wiele ambitniejszy, kompleksowy system rad i zaleceń podzielony na cztery etapy, z których każdy cechuje się coraz mniejszą surowością. Towarzyszy otyłemu od pierwszego dnia diety i może być stosowany do końca życia.

Jedną z największych zalet planu Protal jest jego wartość dydaktyczna pozwalająca otyłemu poznać w praktyce i na własnej skórze względne znaczenie każdej grupy produktów żywnościowych zależnie od kolejności ich wprowadzania do jadłospisu – począwszy od produktów niezbędnych do przeżycia, przez produkty potrzebne, następnie ważne, skończywszy na zbytecznych.

Celem planu Protal jest dostarczenie doskonale opracowanych wskazówek, wystarczająco precyzyjnych i jednoznacznych, by stosująca je osoba nie była zmuszona do niekończącego się wysiłku woli stopniowo podkopującego jej determinację.

Polecenia te skupiają się w cztery następujące po sobie kuracje, z których dwie pierwsze stanowią fazę chudnięcia w całym tego słowa znaczeniu, a celem pozostałych jest utrwalenie osiągniętej wagi i jej ostateczna stabilizacja.

Faza uderzeniowa, kuracja czysto proteinowa

Jest to okres podboju. W tym czasie osoba przechodząca na dietę jest niezwykle zmotywowana i poszukuje kuracji, której efektywność i szybkość, z jaką osiągane są pierwsze efekty, jakkolwiek surowa byłaby dieta, spełni jej oczekiwania i pozwoli z impetem zaatakować nadmiar wagi.

Ta początkowa kuracja jest oparta na czystych proteinach zgodnie z teorią ograniczenia odżywiania do jednego z trzech zasadniczych składników odżywczych: białek.

Teoretycznie, poza białkiem jaja, nie ma produktów zbudowanych wyłącznie z białek. Kuracja ta selekcjonuje i grupuje pewne produkty, których skład jest jak najbardziej zbliżony do czystych białek, na przykład niektóre rodzaje mięs, ryby, owoce morza, drób, jaja, produkty mleczne niezawierające tłuszczu.

Dieta ta, odpowiednio stosowana, jest w porównaniu z innymi dietami niskokalorycznymi prawdziwą machiną wojenną, buldożerem usuwającym wszelkie przeszkody. To z pewnością najbardziej efektywna i najszybsza kuracja odchudzająca, bezpieczna, wykorzystująca produkty żywnościowe, której skuteczność jest najbardziej widoczna w najtrudniejszych przypadkach, szczególnie u kobiet przed menopauzą podatnych na zatrzymywanie wody i wzdęcia lub u kobiet w okresie menopauzy, w trudnym czasie wprowadzania leczenia hormonalnego. Jest również niezwykle skuteczna w przypadku osób uważanych za uodpornione na kuracje odchudzające z powodu nieskutecznego, wielokrotnego ich stosowania.

Faza stałej szybkości, naprzemienna kuracja proteinowa

Jak sama nazwa wskazuje, kuracja ta działa na zasadzie naprzemiennego stosowania dwóch połączonych diet, diety czysto proteinowej i tej samej diety z dodatkiem surowych lub gotowanych warzyw.

To właśnie od naprzemiennej diety proteinowej i skrótu prot-al pochodzi nazwa całej metody.

Diety naprzemienne

Zarówno pierwsza, jak i druga kuracja nie nakładają żadnych ograniczeń dotyczących ilości spożywanych produktów. Obydwie pozwalają na konsumowanie dozwolonych produktów „do woli", o dowolnej godzinie, w proporcjach i składzie, które odpowiadają każdemu, co daje przestrzeń całkowitej wolności, jest skutecznym środkiem zneutralizowania głodu i kompensuje zachcianki jakościowe przez usatysfakcjonowanie ilościowe.

Zależnie od masy ciała do stracenia, liczby poprzednio odbytych kuracji odchudzających, wieku i motywacji kandydata rytm wymiany tych dwóch diet zostanie ustalony według precyzyjnych zasad, które będą wyszczególnione później.

Faza uderzeniowa często rozpoczynająca się zadziwiającym spadkiem masy ciała musi być prowadzona bez przerwy, aż do osiągnięcia pożądanej wagi. Mimo częściowego uzależnienia od złych doświadczeń z przeszłości naprzemienna kuracja proteinowa jest jedną z tych, które najlepiej opierają się skutkom poprzednich porażek.

Etap utrwalania osiągniętej wagi: dziesięć dni na każdy utracony kilogram

Po fazie podboju następuje pokojowa faza planu Protal, której podstawową misją jest ponowne wprowadzenie do jadłospisu produktów niezbędnych, by uniknąć klasycznego efektu jo-jo następującego po każdym znacznym spadku wagi.

W czasie fazy uderzeniowej w miarę trwania diety organizm coraz wyraźniej stara się opierać. Wykorzystuje swoje zapasy, ograniczając stopniowo zużycie energii, a przede wszystkim wzmaga maksymalnie wydajność i absorbcję każdego skonsumowanego produktu.

Zwycięski otyły igra z ogniem, bowiem jego ciało tylko czeka na odpowiedni moment, aby odzyskać utracone zapasy. Obfity posiłek, który miałby niewielkie znaczenie przed rozpoczęciem kuracji, będzie brzemienny w skutki w jej końcowym etapie.

Z tego powodu rozpoczęcie tej fazy kuracji będzie się opierało na pokarmach bogatszych i wynagradzających, ale o ograniczonej różnorodności i liczbie, aby bez ryzyka uspokoić metabolizm podrażniony utratą wagi.

Wprowadzone więc zostaną dwie kromki chleba, jedna porcja owoców i sera dziennie, tygodniowo dwie racje produktów zawierających skrobię, a przede wszystkim dwa razy w tygodniu odświętny posiłek.

Zadaniem pierwszego etapu stabilizacji jest uniknięcie efektu jo-jo – najczęstszej, najbardziej bezpośredniej przyczyny porażek kuracji odchudzających. Wprowadzenie pokarmów tak ważnych, jak chleb, owoce, sery, pewne produkty mączne i dostęp do niektórych dań oraz pokarmów zbędnych, ale dostarczających przyjemności, jest od tej chwili konieczne, wymaga jednak odpowiedniej kolejności oraz precyzyjnych i nakierowujących poleceń, aby uniknąć porażki. Na tym właśnie polega rola pierwszego muru obronnego utraconej wagi.

Czas trwania tego etapu jest ściśle związany z wielkością utraconej wagi i oblicza się go w bardzo prosty sposób: dziesięć dni na każdy utracony kilogram.

Po utracie wagi i uniknięciu ponownego przytycia dzięki obronnemu systemowi nakazów i zaakceptowanych zaleceń człowiek otyły, mając poczucie triumfu i często będąc w euforii, instynktownie wie, że zwycięstwo jest kruche i – pozbawiony przywództwa – będzie wydany wcześniej czy później na pastwę starych demonów. Jednocześnie ma jeszcze większą pewność, że nigdy nie osiągnie równowagi i miary w jedzeniu, do czego większość dietetyków – nie bez racji – go nakłania, tylko w ten sposób gwarantując mu utrzymanie wagi.

W czwartej fazie planu Protal proponuję mu powrócić raz w tygodniu, w każdy czwartek, do końca życia, do początkowej diety uderzeniowej – wyłącznie proteinowej, broni najskuteczniejszej i zarazem najbardziej przymuszającej.

Mimo że wydaje się to paradoksem, człowiek otyły, któremu udało się uzyskać upragnioną wagę, jest w stanie zdobyć się na ten wysiłek, ponieważ chodzi tu o polecenie ściśle określone w czasie, a przede wszystkim ta okazjonalna i niepodważalna dyspozycja przynosi natychmiastowe owoce, pozwalając mu jeść normalnie przez pozostałe sześć dni w tygodniu bez przybrania na wadze.

Streszczenie planu Protal

Kuracja uderzeniowa: czyste proteiny
Średni czas trwania: pięć dni

Kuracja o równomiernym rytmie: proteiny naprzemiennie z warzywami
Średni czas trwania: tydzień na każdy utracony kilogram

Kuracja utrwalająca wagę
Średni czas trwania: dziesięć dni na każdy utracony kilogram

Kuracja ostatecznej stabilizacji
Ścisły Protal w każdy czwartek przez całe życie

Niezbędne pojęcia
z dziedziny żywienia

Trio W – T – B
Węglowodany – Tłuszcze – Białka

Odżywianie, zarówno ludzi, jak i zwierząt, opiera się na imponującej liczbie produktów jadalnych, ale wszystkie one są zbudowane tylko z trzech składników odżywczych: węglowodanów, tłuszczy i białek. Smak każdego pokarmu, jego konsystencja i wartość odżywcza zależą od proporcji tych trzech składników.

Nierówność jakościowa kalorii

Był taki czas, kiedy eksperci z dziedziny żywienia przywiązywali wagę wyłącznie do wartości kalorycznej produktów żywnościowych i posiłków, a proponowane przez nich diety opierały się jedynie na liczeniu spożytych kalorii, co było przyczyną długo niewyjaśnionych porażek.

Obecnie większość dietetyków zrezygnowała z tego ilościowego podejścia, by zainteresować się bliżej pochodzeniem kalorii, rodzajem składników odżywczych, które je dostarczają, rodzajem składników odżywczych zawartych w kęsie pokarmu, a nawet godziną spożywania kalorii.

Dzisiaj wiemy już, że organizm zupełnie inaczej traktuje 100 kalorii dostarczonych przez biały cukier, oliwę czy rybę i że końcowy pożytek z tych kalorii po ich przyswojeniu różni się zależnie od ich pochodzenia.

Podobnie jest z czasem, w którym kalorie są spożywane. Obecnie wszyscy przyjmują odrzucaną niegdyś tezę, że kalorie poranne tuczą mniej niż kalorie, które spożywamy w południe, a jeszcze mniej niż te, które konsumujemy wieczorem.

Niezależnie od dostosowanego do specyficznego profilu psychologicznego osób otyłych kształtu tej diety skuteczność planu Protal i składających się na niego czterech kuracji wynika ze szczególnego doboru składników odżywczych wchodzących w skład zalecanych przez tę dietę pokarmów, a przede wszystkim z olbrzymiego znaczenia, jakie plan ten przypisuje proteinom zarówno w fazie uderzeniowej, jak i w fazie trwałej stabilizacji. Dlatego uznałem, że ze względu na osoby nieposiadające być może szerokiej wiedzy w dziedzinie żywienia, warto opisać pokrótce trzy podstawowe składniki odżywcze, by dzięki temu lepiej wyjaśnić zasady działania planu Protal.

Węglowodany

Ta bardzo rozpowszechniona i ceniona kategoria produktów była zawsze dla człowieka, niezależnie od miejsca, epoki czy cywilizacji, źródłem ponad 50% wartości energetycznej jego dziennej racji pokarmowej.

Przez tysiąclecia, poza owocami i miodem, jedynymi węglowodanami spożywanymi przez człowieka były cukry złożone, czyli zboża, produkty skrobiowe, rośliny strączkowe itp. Ich właściwością jest to, że są przyswajane stopniowo i powodują niewielki wzrost poziom glukozy we krwi, a co za tym idzie, pozwalają uniknąć zbyt dużego wyrzutu insuliny, którego zgubne skutki dla zdrowia, a zwłaszcza dla zachowania odpowiedniej masy ciała są nam dziś doskonale znane.

Od kiedy człowiek wynalazł metodę ekstrakcji cukru z trzciny cukrowej, a później na większą skalę z buraków, w jego sposobie odżywiania nastąpiły głębokie zmiany spowodowane wciąż nasilającą się inwazją produktów o słodkim smaku i łatwo przyswajalnych węglowodanów.

Jako prawdziwe „paliwo" dostarczające organizmowi energii węglowodany są bardzo potrzebne sportowcom, osobom pracującym fizycznie i młodzieży w okresie dojrzewania. Nie są jednak tak potrzebne ludziom prowadzącym siedzący tryb życia, z których w większości składa się obecnie nasze społeczeństwo.

Biały cukier i wszystkie jego pochodne, słodycze czy cukierki, to hydraty węgla w stanie czystym, są więc jednocześnie kaloryczne i błyskawicznie przyswajalne.

Produkty skrobiowe, nawet jeśli nie mają słodkiego smaku, są bardzo bogate w węglowodany. Zaliczamy do nich produkty mączne (chleb, przede wszystkim chleb biały, krakersy, pieczywo chrupkie, zboża itp.), makarony, ziemniaki, groch, rośliny strączkowe, soczewicę, bób.

Owocami najbardziej bogatymi w węglowodany są banany, czereśnie i winogrona.

Również wino i wszystkie pozostałe alkohole zawierają bardzo dużo węglowodanów.

Źródłem węglowodanów są oczywiście także wyroby cukiernicze, smaczna kombinacja mąki, cukru i tłuszczu.

Jeden gram węglowodanów dostarcza tylko cztery kalorie, ale ich dzienna dawka jest zwykle duża, a przez to rachunek kalorii wysoki. Są doskonale przyswajalne, co podnosi ich wydajność energetyczną. Ponadto produkty skrobiowe i mączne są powoli trawione, co powoduje fermentację i powstawanie gazów będące przyczyną nieprzyjemnych i nieestetycznych wzdęć.

Większość węglowodanów to produkty żywnościowe, których smak jest bardzo lubiany, a dotyczy to zarówno produktów skrobiowych oraz mącznych, jak i słodkich. To upodobanie do słodyczy jest po części wrodzone, lecz większość psychologów zgodnie przyznaje, że to raczej wynik długo kształtowanego przyzwyczajenia, ponieważ od wczesnego dzieciństwa uczymy się, że pokarmy słodkie są czymś w rodzaju nagrody.

Węglowodany są prawie zawsze produktami o względnie niskiej cenie i dzięki temu obecne na wszystkich stołach, od najbogatszych do najskromniejszych.

Podsumowując, węglowodany są pożywne i wszechobecne, a ich smak jest tak lubiany, że produkty słodkie nie tylko służą zazwyczaj jako nagroda, lecz także podjadamy je i chrupiemy automatycznie, często nie zdając sobie z tego sprawy.

Jeśli chodzi o metabolizm, ułatwiają wydzielanie insuliny, która sprzyja produkowaniu tłuszczu i powoduje jego odkładanie.

Z tych właśnie powodów osoby ze skłonnością do nadwagi powinny podchodzić do węglowodanów z dużą nieufnością. Obecnie coraz większą wagę zaczyna się przykładać do unikania tłuszczu, który słusznie stał się wrogiem numer jeden osoby otyłej. Nie jest to jednak powód do zmniejszenia czujności wobec cukrów, szczególnie w fazie uderzeniowej, która powinna być tak skuteczna i szybka, jak to tylko możliwe.

Plan Protal wyklucza wszelkie węglowodany w fazie uderzeniowej. W trakcie kuracji naprzemiennej, aż do uzyskania upragnionej wagi, dopuszcza tylko te warzywa, w których obecność cukrów jest znikoma. Węglowodany pojawiają się na nowo w fazie utrwalania wagi, lecz całkowitą wolność ich spożywania przez sześć dni w tygodniu odzyskujemy dopiero w fazie ostatecznej stabilizacji.

Tłuszcze

Tłuszcz jest wrogiem, w całym tego słowa znaczeniu, każdej osoby pragnącej schudnąć, ponieważ to najbardziej skoncentrowana forma, w jakiej magazynowana jest nadwyżkowa energia organizmów żywych. Spożywanie tłuszczu zwierzęcego sprowadza się więc do przywłaszczenia sobie zapasów tego zwierzęcia, co w praktyce może doprowadzić do przybrania na wadze.

Od pojawienia się diety Atkinsa – która okazała się wielkim sukcesem – otwierającej szeroko drzwi tłuszczom i demonizującej węglowodany liczne kuracje przyjęły ten sensacyjny punkt widzenia. Był to poważny błąd z dwóch powodów: dieta ta prowadzi do niebezpiecznego podwyższenia poziomu cholesterolu i trójglicerydów, co niektórzy przypłacili życiem, a brak ostrożności w spożywaniu tłuszczu uniemożliwia jakąkolwiek formę stabilizacji osiągniętej wagi.

Istnieją dwa podstawowe źródła tłuszczów: zwierzęce i roślinne.

Tłuszcz zwierzęcy, znajdujący się w stanie czystym w słoninie i smalcu wieprzowym, jest obecny w niektórych wędlinach, takich jak pasztety, kiełbasy – również suszone – czy rillettes (rodzaj bardzo tłustego paszteto-smalcu). Jego źródłem może być także wiele innych zwierząt. Dużo tłuszczu zawierają baranina, jagnięcina i drób, taki jak gęś czy kaczka. Wołowina jest mniej tłusta, szczególnie kawałki z grilla, jedynie antrykot i rozbratel są wyraźnie przerośnięte tłuszczem. Bardzo chudym mięsem jest konina.

Masło powstałe ze śmietany jest tłuszczem praktycznie czystym. Śmietana, bardziej wodnista, może mieć zawartość tłuszczu dochodzącą do 80%.

Wśród ryb największym źródłem tłuszczu są łatwo rozpoznawalne po oleistym smaku i niebieskiej skórze sardynki, tuńczyki, łososie, makrele i śledzie. Warto jednak wiedzieć, że te ryby nie są bardziej tłuste niż zwykły stek wołowy, a co najważniejsze, tłuszcz ryb zimnomorskich jest bardzo bogaty w kwasy tłuszczowe omega-3 znane z tego, że zapobiegają chorobom serca i naczyń krwionośnych.

Tłuszcze roślinne są reprezentowane przede wszystkim przez wiele olejów i rodzinę roślin oleistych.

Olej jest jeszcze tłustszy niż masło. I nawet jeśli niektóre oleje, jak oliwa z oliwek, olej rzepakowy czy słonecznikowy, mają wartości odżywcze i stwierdzone ochronne działanie na serce oraz naczynia krwionośne, wszystkie są bardzo kaloryczne i powinny być wykluczone z kuracji odchudzających, należy ich także unikać podczas kuracji utrwalającej i podchodzić do nich ostrożnie w trakcie ostatecznej stabilizacji.

Rośliny oleiste, orzechy włoskie i laskowe, orzeszki pistacjowe itp. to produkty, po które sięgamy automatycznie i spożywamy zwyczajowo jako przystawki, łącząc je często z alkoholem, co bardzo zwiększa kaloryczny rachunek posiłku.

Dla osoby pragnącej być szczupłą, a tym bardziej dla osoby próbującej właśnie schudnąć, tłuszcz jest symbolem największego niebezpieczeństwa.

✓ To przede wszystkim najbardziej kaloryczny składnik odżywczy: 9 kalorii na gram, czyli dwa razy więcej niż węglowodany czy białka, które dostarczają tylko 4 kalorie na gram.

✓ Produkty spożywcze bogate w tłuszcz są rzadko konsumowane osobno. Olejowi, masłu czy śmietanie zazwyczaj towarzyszy chleb, produkty zbożowe, makaron, sos vinaigrette, a takie połączenie znacznie zwiększa całościowy rachunek kaloryczny.

✓ Tłuszcze przyswajane są trochę wolniej niż cukry proste, ale zdecydowanie szybciej niż białka i dlatego ich wydajność energetyczna jest duża.

✓ Tłuste pokarmy tylko nieznacznie zmniejszają apetyt, a ich podjadanie, w przeciwieństwie do produktów proteinowych, nie wpływa na zmniejszenie porcji kolejnego posiłku i nie skłania do przesunięcia go na później.

✓ Tłuszcze pochodzenia zwierzęcego, masło, wędliny, tłuste sery o wysokiej zawartość kwasu tłuszczowego stanowią potencjalne zagrożenie dla serca. Dlatego w żadnym wypadku nie powinny być spożywane bez ograniczeń, jak zalecała dieta Atkinsa i inne inspirowane nią kuracje.

Białka

Białka są trzecim podstawowym składnikiem odżywczym. Tworzą dużą grupę związków azotowych, wśród których wyróżnia się klasa protein, najdłuższych molekuł, z jakich zbudowane są organizmy żywe. Pokarmy najbogatsze w proteiny pochodzą ze świata zwierzęcego. Ich najcenniejszym źródłem jest mięso.

Mięsem najbardziej bogatym w białko jest konina. Wołowina jest bardziej tłusta, choć jej niektóre chude kawałki zawierają go równie dużo. Mięso baranie i jagnięce jest wyraźnie przerośnięte tłuszczem, co zmniejsza intensywność ich koloru i ogranicza zawartość białek. Wieprzowina, jeszcze bardziej tłusta, nie jest wystarczająco bogata w białka, aby zaliczyć ją do wąskiej grupy produktów wysokoproteinowych.

Bardzo bogate w proteiny są podroby, mają mało tłuszczu i węglowodanów, z wyjątkiem wątroby, która zawiera niewielką ilość cukru.

Drób, poza gęsią i kaczką hodowlaną, to mięso względnie chude i obfite w proteiny, szczególnie mięso indyka i niektóre chude kawałki kurczaka, zwłaszcza piersi.

Ryby – przede wszystkim o białym mięsie, wyjątkowo chude, jak sola, raja, dorsz lub czarniak – to prawdziwa kopalnia protein o bardzo wysokiej wartości biologicznej. Ryby z zimnych mórz, jak łosoś, tuńczyk, sardynka czy makrela, mają mięso bardziej tłuste, co nieco obniża zawartość białka, niemniej pozostają doskonałym źródłem protein, dają rzadkie poczucie oleistego aksamitu w ustach i znakomicie chronią system sercowo-naczyniowy.

Skorupiaki i mięczaki są zarazem chude i ubogie w węglowodany, więc bogate w proteiny. Tradycyjnie odradza się spożywanie skorupiaków ze względu na wysoką zawartość cholesterolu, lecz ponieważ jest on skoncentrowany w głowie zwierzęcia (w tzw. koralu), a nie w mięsie, bez obawy można spożywać krewetki, kraby i inne owoce morza, jeśli usuniemy koral głowy.

Ważnym źródłem protein są jaja. Żółtko zawiera taką ilość cholesterolu i tłuszczu, że należy unikać jego nadmiernego spożywania przy skłonności do nadwagi. Za to białko jaja zawiera proteiny najbardziej czyste i pełnowartościowe, dlatego zawsze służyło jako standard, z którym porównywane były inne formy białka.

Białka roślinne znajdują się w większości zbóż i roślin strączkowych, ale są one zbyt bogate w węglowodany, by mogły być wprowadzone do kuracji, której skuteczność opiera się na możliwie najczystszych proteinach. W dodatku poza soją proteiny te mają niewielką wartość biologiczną i brakuje im niektórych niezbędnych aminokwasów, dlatego nie można zbyt długo opierać odżywiania wyłącznie na białkach pochodzenia roślinnego.

Człowiek jest mięsożernym łowcą

Należy zdać sobie sprawę, że człowiek wydobył się ze swej zwierzęcej natury dzięki temu, że stał się mięsożerny. Jego małpi przodkowie, podobnie jak występujące obecnie małpy człekokształtne, byli przede wszystkim wegetarianami, nawet jeśli sporadycznie zdarzało im się zapolować na inne zwierzęta. Stając się polującym w grupie myśliwym i przez to konsumentem mięsa, człowiek mógł ukształtować swoje czysto ludzkie cechy. Organizm ludzki wyposażony jest w układ trawienny i wydalniczy pozwalający na nieograniczone spożycie mięs i ryb.

Trawienie, utrata kalorii i sytość

Białka są składnikiem odżywczym, którego trawienie trwa najdłużej i jest najbardziej pracochłonne. Na rozłożenie i przyswojenie protein organizm potrzebuje ponad trzech godzin. Powód jest prosty. Molekuły protein są długimi łańcuchami o silnie spojonych ogniwach. Aby pokonać ich opór, potrzebny jest proces dokładnego rozdrobnienia i przeżucia treści pokarmowej w jamie ustnej, mozolne, mechaniczne roztarcie w żołądku, a przede wszystkim sprzężona akcja różnorodnych soków trzustkowych.

Organizm drogo opłaca tę ciężką pracę pozyskiwania energii z pożywienia, ponieważ – jak policzono – by uzyskać 100 kalorii z pokarmu białkowego, organizm musi zużyć ich blisko 30. Można podsumować tę właściwość, stwierdzając, że swoiście dynamiczne działanie białek wynosi 30%, w przypadku tłuszczów zaś jest to 12%, a węglowodanów 7%.

Należy pamiętać, że jeśli osoba pragnąca schudnąć spożywa mięso, rybę lub chudy jogurt, już samo trawienie zmusza jej organizm do wysiłku, powodując tym samym utratę kalorii, co zmniejsza wartość energetyczną posiłku. Ta właściwość białek jest zatem szczególnie korzystna. Omówię to bardziej szczegółowo przy wyjaśnianiu mechanizmu działania kuracji opartej na czystych proteinach.

Ponadto, ponieważ białka są trawione i przyswajane powoli, opóźniony zostaje proces opróżniania żołądka, co wzmaga poczucie przejedzenia i sytości.

Jedyny niezbędny do życia składnik odżywczy nieodzowny przy każdym posiłku

Z trzech uniwersalnych składników odżywczych jedynie białka są niezbędne do naszej egzystencji.

Najmniej potrzebne są węglowodany, ponieważ organizm ludzki potrafi produkować glukozę, to znaczy cukier, z mięsa lub tłuszczu. Dzieje się tak, kiedy pozbawieni pokarmu lub na diecie czerpiemy z zapasów odłożonego tłuszczu i przerabiamy go na glukozę niezbędną do funkcjonowania mięśni i mózgu.

Podobnie jest z tłuszczami, które otyły z łatwością produkuje z nadmiaru słodyczy i mięsa, odkładając w postaci tkanki tłuszczowej.

Człowiek nie posiada jednak żadnych środków metabolicznych do syntetyzowania białek. Tymczasem sam fakt życia, podtrzymywanie pracy systemu mięśniowego, odnowa czerwonych ciałek krwi, gojenie się ran, porost włosów czy nawet działanie pamięci, wszystkie te funkcje życiowe wymagają białek, a dzienne minimum wynosi jeden gram na kilogram masy ciała.

W razie niedoboru organizm zmuszony jest czerpać z własnych zapasów, głównie z mięśni, ale również ze skóry, a nawet z kości. Tak właśnie się dzieje, kiedy stosujemy nierozsądne diety, jak dieta wodna lub dieta Beverly Hills oparta wyłącznie na egzotycznych owocach, słynna kuracja gwiazd Hollywood, które musiały w niej utopić, jeśli rzeczywiście jej przestrzegały, znaczną część swojej siły uwodzenia.

Osoba starająca się schudnąć musi pamiętać, że nawet najbardziej restrykcyjna kuracja powinna dostarczyć nie mniej niż jeden gram białek dziennie na każdy kilogram masy ciała i że dawka ta powinna być rozdzielona równomiernie na trzy posiłki. Niepełnowartościowe śniadanie, drożdżówka lub czekoladowy batonik w południe, kolacja składająca się z pizzy i owoców to posiłki niezwykle ubogie w białka i świetny sposób, by pozbawić cerę świeżości oraz zniszczyć zdrowie całego organizmu.

Niska wartość kaloryczna protein

Jeden gram białek dostarcza tylko cztery kalorie, dwa razy mniej niż tłuszcz, ale tyle samo co cukier.

Ogromna różnica polega jednak na tym, że białka nawet w pokarmach, które są w nie bardzo bogate, nigdy nie są aż tak skoncentrowane, jak mogą być cukry w kostce lub tłuszcze w oleju czy maśle.

Wszystkie mięsa, ryby i inne proteiny spożywcze dostarczają tylko 50% białek przyswajalnych, pozostała część to uboczne produkty metabolizmu białek i niemożliwe do wykorzystania tkanki uzupełniające. Filet z indyka lub stugramowy stek dostarczają 200 kalorii i jeśli przypomnimy sobie, że organizm musi zużyć 30% ich wartości kalorycznej, czyli 60 kalorii, aby je przyswoić, pozostaje tylko 140 kalorii, których dostarczają te wyśmienite i sycące dania. To równowartość jednej łyżki stołowej oliwy, która wydaje nam się zupełnie nieszkodliwa, kiedy polewamy nią kilka listków sałaty. Tu właśnie, na tym prostym przykładzie, widać, jak kapitalne znaczenie może mieć stosowanie śmiałej diety zalecającej, by przez określony czas spożywać wyłącznie białka.

Dwie ujemne strony protein

✓ DROGIE PRODUKTY: ceny produktów proteinowych są raczej wysokie, mięso, ryby czy owoce morza mogą nadwyrężyć skromny budżet. Jajka, drób i podroby są bardziej dostępne, ale w przeliczeniu na gramy jest to mimo wszystko najbardziej luksusowa kategoria produktów. Na szczęście, odkąd kilkadziesiąt lat temu w sklepach pojawił się nabiał bez zawartości tłuszczu, mamy dostęp do wysokiej jakości białka w bardziej przystępnej cenie.

✓ POKARMY OBFITE W UBOCZNE PRODUKTY PRZEMIANY MATERII: w przeciwieństwie do innych pokarmów produkty białkowe nie rozkładają się całkowicie i pod koniec ich rozpadu pozostaje w organizmie pewna liczba ubocznych produktów, jak kwas moczowy, który musi zostać wydalony. Teoretycznie zbyt duże spożycie tych pokarmów mogłoby spowodować zwiększenie zawartości produktów ubocznych i zaszkodzić osobom szczególnie na nie wrażliwym. W praktyce jednak organizm ludzki, a dokładniej mówiąc nerki, doskonale radzi sobie z tym problemem, posiada bowiem specjalne mechanizmy wydalania. Aby jednak sprostać temu zadaniu, nerki bezwzględnie potrzebują zwiększonej ilości wody. Nerki oczyszczą krew z kwasu moczowego pod warunkiem, że zdecydowanie zwiększymy dzienne spożycie wody.

Miałem okazję opisać około sześćdziesięciu przypadków osób cierpiących na podagrę lub mających kamienie moczowe, które stosowały kurację proteinową i zgodziły się ją połączyć z codziennym spożyciem trzech litrów wody. Ci, którzy zaakceptowali ten środek ostrożności, kontynuowali dietę, inni nie zostali poddani kuracji. U żadnego z pacjentów nie stwierdzono podwyższenia poziomu kwasu moczowego w trakcie stosowania diety proteinowej, a u jednej trzeciej z nich stwierdzono nawet, że poziom się obniżył.

Należy więc pamiętać o piciu dużej ilości wody, kiedy spożywamy produkty bogate w białka, zwłaszcza w okresie stosowania diety skomponowanej wyłącznie z produktów proteinowych.

Podsumowanie

Należy wymienić podstawowe zasady, które dobra kuracja odchudzająca powinna wziąć pod uwagę:

✓ Wrogiem numer jeden każdego, kto zamierza rozpocząć kurację odchudzającą, są bez wątpienia tłuszcze zwierzęce oraz roślinne. Nawet pomijając tłuszcz zawarty w mięsach i rybach, wystarczy wziąć pod uwagę wartość kaloryczną oleju zawartego w sosach czy używanego do smażenia, masła czy śmietany służących do przygotowania wszelkich przystawek, tłuszczu w serach i wędlinach. To wystarczy, aby przyznać tłuszczom pierwszeństwo w dostarczaniu kalorii. Skuteczna i koherentna dieta powinna się zacząć od ograniczenia lub wyeliminowania pokarmów bogatych w tłuszcze.

✓ Trzeba również pamiętać, że tłuszcze zwierzęce są głównym źródłem cholesterolu i trójglicerydów. Należy systematycznie je ograniczać w przypadku ryzyka chorób serca i naczyń krwionośnych.

✓ Następnym wrogiem osoby pragnącej schudnąć są węglowodany proste – nie zawarte w zbożu lub roślinach strączkowych wolno przyswajalne cukry, lecz niemal błyskawicznie przyswajalny biały cukier. Już sama jego obecność ułatwia przejście i przyswojenie innych cukrów. Doskonały do podjadania, może sprawić, że delektując się jego słodkim smakiem, zapomnimy, jak dużo zawiera kalorii.

✓ Proteiny mają umiarkowaną wartość kaloryczną: cztery kalorie na gram.

✓ Pokarmy o największej zawartości białka, jak mięso i ryby, posiadają siatkę włókien tkanki łącznej bardzo odporną na trawienie, co uniemożliwia ich całkowite przyswojenie przez organizm. Koszt energetyczny metabolizmu białek jest manną z nieba dla otyłego na diecie, który zazwyczaj bardzo łatwo przyswaja kalorie i uwielbia jeść.

✓ Swoiście dynamiczne działanie białek to liczba kalorii zużytych na rozłożenie białek w czasie procesu trawienia. Ten koszt energetyczny metabolizmu białek odlicza się od całej podstawowej wartości energetycznej pokarmu. W przypadku białek zaoszczędza się w ten sposób 30% kalorii, zdecydowanie więcej niż w przypadku wszystkich pozostałych składników odżywczych.

✓ Nigdy nie należy poddawać się diecie zawierającej mniej niż 60–80 gramów czystych protein, ponieważ może to grozić zmniejszeniem masy mięśni i zwiotczeniem skóry.

✓ Nie należy się obawiać kwasu moczowego, naturalnego produktu ubocznego metabolizmu białek, który zostanie całkowicie wydalony przy dodatkowym spożyciu półtora litra wody dziennie.

✓ Należy pamiętać, że im wolniej pokarm jest przyswajany, tym później pojawi się łaknienie. Pokarmy słodkie są pochłaniane w największej ilości i najszybciej przyswajane, na drugim miejscu znajdują się pokarmy tłuste, a dopiero za nimi proteiny. Ci, którzy bez przerwy czują głód, niech sami wyciągną wnioski.

Czyste proteiny

Siła napędowa planu Protal

Protal jest planem składającym się z czterech połączonych ze sobą i następujących jedna po drugiej kuracji, które mają za zadanie doprowadzić otyłego do wyznaczonej wagi i pomóc mu tę wagę utrzymać.

Te cztery następujące po sobie kuracje o coraz mniej surowych zaleceniach mają na celu:

- ✓ pierwsza – szybki start oraz intensywną i stymulującą utratę kilogramów;
- ✓ druga – regularny spadek masy ciała pozwalający dojść do upragnionej wagi;
- ✓ trzecia – utrwalenie świeżo zdobytej i jeszcze niestabilnej wagi; czas trwania tej kuracji ustala się indywidualnie zależnie od liczby utraconych kilogramów (dziesięć dni na każdy kilogram);
- ✓ czwarta – definitywną stabilizację pod warunkiem zachowania ścisłej diety przez jeden dzień w tygodniu do końca życia.

Każda z tych kuracji ma specyficzną zasadę działania i szczególną misję do spełnienia, lecz ich siła i skuteczność wynika z zastosowania diety proteinowej, ścisłej i rygorystycznej, opartej wyłącznie na czystych proteinach w pierwszej fazie uderzeniowej, następnie naprzemiennej z dietą dopuszczającą warzywa w fazie równomiernej utraty wagi, potem zrównoważonej w fazie utrwalania wagi i wreszcie ścisłej, opartej wyłącznie na czystych proteinach, ale stosowanej tylko jeden dzień w tygodniu w fazie ostatecznej stabilizacji.

Kuracja Protal zaczyna się od ścisłej diety proteinowej trwającej od dwóch do siedmiu dni. Dzięki temu, że działa na organizm przez zaskoczenie, początek kuracji jest niezwykle skuteczny.

Ta sama dieta, stosowana naprzemiennie, nadaje moc i rytm naprzemiennej kuracji proteinowej, doprowadzając do uzyskania upragnionej wagi.

Dieta proteinowa, stosowana okazjonalnie, jest również filarem fazy utrwalania wagi, okresu przejściowego między spadkiem masy ciała i powrotem do normalnego odżywiania.

Ona też, stosowana do końca życia, ale tylko przez jeden dzień w tygodniu, pozwala ostatecznie ustabilizować wagę i w zamian za ten okresowy wysiłek pozwala żyć i jeść bez poczucia winy i bez szczególnych restrykcji przez pozostałe sześć dni w tygodniu.

Przyjmując, że dieta oparta na czystych proteinach jest siłą napędową planu Protal i składających się na niego czterech kuracji, należy teraz, przed wprowadzeniem go w życie, opisać szczególny sposób jej działania, wyjaśnić, na czym polega jej imponująca skuteczność i w ten sposób w pełni wykorzystać możliwości, jakie przed nami otwiera.

Jak działa dieta oparta na czystych proteinach? Następny rozdział przyniesie odpowiedź na to pytanie.

Gdzie znajdujemy czyste proteiny?

Podstawę żywej materii, zarówno zwierzęcej, jak i roślinnej, stanowią białka, co oznacza, że są one obecne w większości znanych produktów żywnościowych. Lecz by dieta proteinowa mogła być w pełni skuteczna i umożliwiać stosującej ją osobie skorzystanie ze wszystkich efektów, jakie ta kuracja oferuje, powinna się opierać na produktach, w których składzie znajdują się niemal wyłącznie czyste proteiny. W praktyce, poza białkiem jaja, żaden pokarm nie składa się wyłącznie z protein.

Rośliny, nawet te wysokobiałkowe, są zbyt bogate w węglowodany. Dotyczy to wszystkich zbóż i roślin mączystych strączkowych oraz zawierających skrobię, w tym także soi znanej z wysokiej jakości zawartych w niej białek, lecz zbyt tłustej i bogatej w węglowodany. Z tego względu nie możemy opierać naszej diety na tych roślinach.

Podobnie jest z produktami pochodzenia zwierzęcego, które zawierają więcej białka niż rośliny, ale większość z nich jest zbyt tłusta. Dotyczy to wieprzowiny, baraniny, jagnięciny, zbyt tłustego drobiu, jak gęś czy kaczka, i wielu partii wołowiny oraz cielęciny.

Istnieje jednak kilka produktów pochodzenia zwierzęcego, które, mimo że nie są czystymi białkami, są bliskie ideału i dlatego będą odgrywały bardzo ważną rolę w planie Protal:

✓ konina z wyjątkiem łaty;
✓ wołowina z wyjątkiem antrykotu z kością, rozbratla z kością oraz kawałków do duszenia i na rosół;
✓ cielęcina na grilla;
✓ drób z wyjątkiem kaczki i gęsi;

✓ ryby, w tym również te o niebieskiej skórze, których tłuszcz znakomicie chroni serce i układ krążenia;

✓ skorupiaki i mięczaki;

✓ jajka, których białko składa się wyłącznie z protein, ale żółtko zawiera pewną ilość tłuszczu;

✓ chudy nabiał bardzo bogaty w białka i zupełnie pozbawiony tłuszczu. Zawiera jednak ślady węglowodanów, szczególnie te produkty, które są słodzone aspartamem lub aromatyzowane pulpą owocową. Jednak tylko śladowa obecność węglowodanów i walory smakowe tych produktów pozwalają zaliczyć je do pokarmów zasadniczo proteinowych stanowiących siłę uderzeniową planu Protal.

Jak działają białka?

Czystość protein zmniejsza ich kaloryczność

Wszystkie gatunki zwierząt żywią się pokarmami złożonymi z połączenia wyłącznie trzech znanych składników odżywczych: białek, tłuszczów i węglowodanów. Ale dla każdego gatunku istnieje właściwa, idealna proporcja tych trzech składników. Optymalną proporcję dla człowieka wyraża schemat 5–3–2, to znaczy 5 części węglowodanów, 3 części tłuszczów i 2 części białek. Podobną proporcję tych składników ma kobiece mleko.

Jeśli skład kęsa pokarmowego zachowuje tę właściwą dla człowieka proporcję, przyswajanie kalorii w jelicie cienkim odbywa się z maksymalną efektywnością, a wydajność energetyczna pożywienia jest tak duża, że może powodować przybranie na wadze.

Wystarczy zatem zmienić tę optymalną proporcję, aby zakłócić absorpcję kalorii i obniżyć energetyczną wydajność pokarmów. Teoretycznie najbardziej radykalną zmianą, jaką można sobie wyobrazić, najintensywniej zmniejszającą absorpcję kalorii, byłoby ograniczenie się do spożywania tylko jednego składnika odżywczego.

W praktyce, mimo prób w Stanach Zjednoczonych z węglowodanami (dieta Beverly Hills proponująca wyłącznie owoce egzotyczne) i z tłuszczami (dieta Eskimosa), odżywianie sprowadzone wyłącznie do cukrów lub tłuszczów jest trudne do zrealizowania i obciążone negatywnymi konsekwencjami. Zbyt wiele cukru może spowodować pojawienie się cukrzycy, a nadmiar tłuszczów, poza tym że prędzej czy później wywoła nudności, stwarza ryzyko otłuszczenia serca i naczyń krwionośnych. Ponadto niedobór białek niezbędnych do życia zmusiłby organizm do czerpania ich z własnych mięśni.

Ograniczenie odżywiania do jednego składnika jest więc dopuszczalne tylko wtedy, kiedy tym składnikiem będą białka. Takie rozwiązanie jest możliwe do zaakceptowania, ponieważ nie naraża osoby stosującej dietę na schorzenia układu sercowo-naczyniowego i z definicji wyklucza jakikolwiek niedobór białka. Taka dieta poza tym jest smaczna.

Gdy uda nam się oprzeć odżywianie wyłącznie na białkach, organy trawienia będą z ogromnym trudem pracowały nad kęsem pokarmu, do którego nie są zaprogramowane i z którego wartości kalorycznej nie mogą w pełni skorzystać. Znajdą się one w pozycji dwutaktowego silnika skonstruowanego na benzynę i olej, który ktoś stara się uruchomić czystą benzyną. Po dłuższym postękiwaniu silnik gaśnie, nie mogąc wykorzystać dostarczonego mu paliwa.

W takiej sytuacji organizm zadowala się czerpaniem białek koniecznych do podtrzymania funkcji organów (mięśni, krwinek, skóry, włosów, paznokci), a pozostałe kalorie zużywa źle i tylko częściowo.

Przyswajanie białek pociąga duże zużycie kalorii

Aby dobrze zrozumieć tę drugą właściwość białek, która wpływa na skuteczność metody Protal, niezbędne jest zaznajomienie się z pojęciem SDD, czyli swoiście dynamicznym działaniem pokarmów. SDD to wysiłek lub wydatek energetyczny organizmu, aby rozłożyć składniki pokarmowe na związki proste, bo tylko w takiej formie mogą być wchłonięte do krwiobiegu. Wielkość tego wysiłku zależy od konsystencji i struktury molekularnej pokarmu.

Kiedy spożywamy 100 kalorii cukru w kostkach, który jest łatwo przyswajalnym węglowodanem złożonym z prostych molekuł, absorpcja jest szybka i praca ta kosztuje organizm tylko 7 kalorii. Do wykorzystania pozostają więc 93 kalorie. SDD hydratów węgla wynosi 7%.

Kiedy spożywamy 100 kalorii masła lub oliwy, przyswajanie jest trochę bardziej pracochłonne i kosztuje nas 12 kalorii, pozostawiając organizmowi 88 kalorii. SDD tłuszczów wynosi 12%.

Aby przyswoić 100 kalorii czystych białek, jak białko jaja, chuda ryba lub biały chudy ser, rachunek okazuje się olbrzymi, bowiem białka zbudowane są z bardzo długich łańcuchów molekuł, których podstawowe ogniwa – aminokwasy, są ze sobą tak silnie połączone, że ich rozdzielenie wymaga dużo większej pracy. Na ich przyswojenie trzeba zużyć 30 kalorii, pozostawiając organizmowi już tylko 70, czyli SDD białek wynosi 30%.

Przyswajanie białek jest poważną wewnętrzną pracą organizmu, w czasie której wyzwala się ciepło i podwyższa się temperatura ciała, co wyjaśnia, dlaczego odradza się kąpiel w zimnej wodzie po posiłku bogatym w białka, różnica temperatur może bowiem spowodować szok termiczny.

Ta charakterystyczna cecha białek, irytująca spieszących się do kąpieli, jest błogosławieństwem dla otyłych z łatwością przyswajających kalorie. Pozwala im bezboleśnie zaoszczędzić trochę kalorii i jeść bez ciągłego myślenia o konsekwencjach.

Pod koniec dnia, na 1500 kalorii skonsumowanych protein – co oznacza pożywne jedzenie – po procesie trawienia w organizmie pozostaje ich już tylko 1000. To jest właśnie klucz do planu Protal i jeden z zasadniczych powodów jego skuteczności. Ale to nie wszystko...

Białka zmniejszają apetyt

Spożywanie pokarmów słodkich lub tłustych, łatwo trawionych i przyswajalnych, powoduje tylko chwilowe uczucie sytości, po którym przedwcześnie powraca głód. Udowodniono, że podjadanie słodkich lub tłustych produktów nie opóźnia ponownego nadejścia głodu, nie sprawia też, że w czasie następnego posiłku zjemy mniej. Natomiast podjadanie produktów bogatych w białka opóźnia godzinę następnego posiłku i skłania do spożycia mniejszej ilości pokarmu.

Spożywanie wyłącznie pokarmów proteinowych powoduje ponadto wytwarzanie naturalnych biomarkerów uczucia sytości, co zaspokaja głód na dłużej. Po dwóch czy trzech dniach odżywiania opartego wyłącznie na proteinach, uczucie głodu znika i Protal może być kontynuowany bez naturalnej groźby, która wisi nad większością innych diet – groźby głodu.

Białka przeciwdziałają obrzękom i zatrzymywaniu wody

Niektóre kuracje odchudzające lub sposoby odżywiania się znane są jako „hydrofilowe", na przykład dieta oparta głównie na produktach roślinnych, obfita w owoce, jarzyny i sole mineralne, ponieważ sprzyjają zatrzymywaniu wody w organizmie, czego natychmiastowy skutkiem są opuchnięcia.

W przeciwieństwie do nich diety bogate w białka są raczej „hydrofobowe", ułatwiają wydalanie moczu i osuszają tkanki przepełnione wodą, stan szczególnie nieprzyjemny przed miesiączką lub w okresie premenopauzy.

Dieta uderzeniowa planu Protal złożona wyłącznie z produktów wysokobiałkowych jest kuracją, która najskuteczniej usuwa nadmiar wody z organizmu.

Ta właściwość jest szczególnie korzystna dla kobiet. Mężczyzna tyje przede wszystkim dlatego, że zbyt dużo je i magazynuje nadmiar kalorii w postaci tłuszczu. U kobiety mechanizm tycia jest często bardziej złożony i związany z zatrzymywaniem wody, co hamuje i zmniejsza efekty kuracji odchudzających.

W niektórych momentach cyklu menstruacyjnego, cztery lub pięć dni przed krwawieniem, lub na niektórych rozdrożach życia kobiety, jak dojrzewanie płciowe, klimakterium, czasami w pełni dojrzałości płciowej, pod wpływem zakłóceń hormonalnych kobiety, szczególnie te z nadwagą, zaczynają zatrzymywać wodę i czują się napęczniałe, wzdęte, spuchnięte na twarzy po przebudzeniu, nie mogą zdjąć pierścionków z serdelkowatych palców, mają ciężkie i spuchnięte nogi w kostkach. Temu zatrzymywaniu wody towarzyszy przybranie na wadze. Jest ono zazwyczaj odwracalne, ale może stać się chroniczne.

Zdarza się też, że kobiety te, aby odzyskać linię i uniknąć tycia, poddają się diecie i z przykrością zauważają, że jest ona nieskuteczna.

We wszystkich tych przypadkach – wcale nie takich rzadkich – czyste białka, na których opiera się faza uderzeniowa kuracji Protal, mają natychmiastowe i decydujące działanie. W ciągu kilku dni, a niekiedy wręcz kilku godzin, tkanki przesycone wodą osuszają się, co natychmiast odzwierciedla waga, a towarzyszące temu poczucie zadowolenia i lekkości zwiększa motywację.

Białka zwiększają odporność organizmu

Chodzi tu o właściwość białek doskonale znaną dietetykom i od zawsze zauważaną przez niewtajemniczonych. Zanim zlikwidowano gruźlicę antybiotykami, jednym z podstawowych sposobów jej leczenia było karmienie chorego pożywieniem charakteryzującym się znacznym zwiększeniem proporcji białek. W Berk-sur--Mer, nadmorskim kurorcie i uzdrowisku położonym nad kanałem La Manche, zmuszano nawet młodzież w okresie dojrzewania do picia krwi zwierzęcej. Dzisiaj trenerzy zalecają produkty wysokobiałkowe sportowcom, którzy intensywnie trenują. Lekarze postępują podobnie, aby zwiększyć odporność na infekcje chorych na anemię lub przyspieszyć gojenie się ran.

Warto korzystać z tej właściwości białek, bowiem jakiekolwiek odchudzanie zawsze osłabia organizm. Zauważyłem, że początkowy okres, na który składają się wyłącznie wysokobiałkowe produkty, jest najbardziej stymulującą fazą planu Protal. Niektórzy pacjenci zasygnalizowali mi wręcz, że dieta ta wywoływała w nich poczucie euforii pod względem fizycznym oraz mentalnym, i to już pod koniec drugiego dnia.

Czyste białka pozwalają schudnąć bez utraty masy mięśniowej i bez zwiotczenia skóry

Nie ma w tym nic dziwnego, biorąc pod uwagę, że skóra, jej elastyczna tkanka i mięśnie są zbudowane głównie z białek. Kuracja niedostarczająca odpowiedniej ilości białek zmusiłaby organizm do korzystania z białek znajdujących się w mięśniach i skórze, pozbawiając ją elastyczności, nie mówiąc już o osłabieniu kości, które u kobiety w okresie menopauzy i bez tego są dostatecznie zagrożone. Połączenie tych negatywnych czynników powoduje starzenie się tkanek, skóry, włosów i ogólne pogorszenie wyglądu widoczne dla otoczenia, co może doprowadzić do przedwczesnego przerwania kuracji odchudzającej.

Tymczasem dieta bogata w proteiny, a zwłaszcza kuracja złożona wyłącznie z protein – inaugurująca plan Protal – nie zagraża białkom, z których zbudowane są tkanki organizmu, ponieważ dostarcza ich w dużej ilości. W tych warunkach szybka i motywująca utrata kilogramów nie odbiera mięśniom sprężystości, skórze blasku i pozwala zeszczupleć bez starzenia się.

Ta właściwość planu Protal może się wydać drugorzędna kobietom młodym, okrągłym, o twardych mięśniach i jędrnej skórze, staje się natomiast niezwykle istotna dla kobiet zbliżających się do okresu menopauzy albo o słabej muskulaturze oraz delikatnej i cienkiej skórze. Warto wspomnieć, że widzi się dzisiaj zbyt wiele kobiet, które dbają o swój wygląd, patrząc wyłącznie na wskaźnik wagi. Tymczasem waga nie może i nie powinna odgrywać zasadniczej roli. Piękna cera, sprężystość skóry, jędrność ciała, wszystko to decyduje o wyglądzie kobiety.

KURACJA TA MUSI BYĆ BARDZO OBFITA W WODĘ

Problem wody zawsze nieco zbija z tropu. Na ten temat krążą różnorodne zdania oraz opinie i zawsze znajdzie się jakiś pseudoautorytet głoszący pogląd przeciwny temu, który słyszeliście poprzedniego dnia.

Otóż problem ten nie jest zwykłym marketingowym pomysłem przemysłu dietetycznego, grzechotką do zabawiania osób pragnących być szczupłymi. To bardzo ważna kwestia, która mimo olbrzymich wysiłków podejmowanych wspólnie przez prasę, lekarzy, sprzedawców wód i ludzi kierujących się zwykłym zdrowym rozsądkiem nigdy nie przebiła się dostatecznie do opinii publicznej ani do odchudzających się.

Wydawałoby się, że aby się pozbyć zapasów tłuszczu, należy przede wszystkim spalić kalorii, ale spalanie, mimo że niezbędne, nie wystarczy. Zeszczupleć to zarówno spalić, jak i usunąć.

Co pomyślałaby pani domu o niewypłukanym praniu czy naczyniach? Podobnie jest z chudnięciem i trzeba to jasno powiedzieć. Kuracja odchudzająca, której nie towarzyszy odpowiednia dzienna racja wody, jest kuracją złą. Nie tylko jest mało skuteczna, ale przyczynia się do nagromadzenia w organizmie szkodliwych ubocznych produktów przemiany materii.

Woda oczyszcza i poprawia wyniki kuracji

Nie ulega wątpliwości, że im więcej się pije wody i wydala moczu, tym większe daje to nerkom możliwości usunięcia ubocznych produktów przemiany materii. Woda jest więc najlepszym naturalnym środkiem moczopędnym. Zadziwiające, jak mało ludzi pije wystarczająco dużo wody.

Tysiące codziennych spraw opóźnia i w końcu tłumi naturalne uczucie pragnienia. Mijają dni i tygodnie, pragnienie zanika i przestaje odgrywać rolę sygnalizatora odwodnienia tkanek.

Wiele kobiet, których pęcherz moczowy jest mniejszy i bardziej wrażliwy niż u mężczyzn, wstrzymuje się od picia, aby uniknąć ciągłego wychodzenia do ubikacji w czasie pracy lub podczas podróży czy choćby z powodu niechęci do korzystania z toalet publicznych.

Jednak to, co byłoby do przyjęcia w normalnych warunkach, jest absolutnie zakazane podczas kuracji odchudzającej. Jeżeli większość argumentów związanych z higieną wydaje się złudna, jest jeden, który zawsze przekona:

Niedobór wody w czasie odchudzania jest nie tylko toksyczny dla organizmu, ale może również zmniejszyć lub całkowicie zablokować utratę wagi i zniweczyć wiele wysiłków. Dlaczego?

W trakcie kuracji odchudzającej ludzki mechanizm spalania tłuszczu działa jak każdy silnik spalinowy. Spalona energia wydziela ciepło i spaliny.

Jeśli spaliny te nie są regularnie usuwane przez pracę nerek w górnej części układu pokarmowego, ich akumulacja w dolnej części doprowadzi wcześniej czy później do przerwania spalania i uniemożliwi jakąkolwiek utratę wagi, nawet jeśli stosujemy się dokładnie do zaleceń diety. Tak samo byłoby z silnikiem samochodu, któremu zatkano rurę wydechową, lub z kominkiem, z którego nie wybierano popiołu – i jeden, i drugi zadusiłby się, zgasł pod stosem odpadów.

Błędy żywieniowe otyłego, nagromadzenie złych przyzwyczajeń, stosowanie zbyt ostrych lub niekonsekwentnych diet, wszystko to rozleniwiło jego nerki. Osoba otyła bardziej niż ktokolwiek inny potrzebuje bardzo dużych ilości wody, aby rozruszać swoje organy wydalania.

Początkowo operacja ta może wydawać się nieprzyjemna i męcząca, szczególnie zimą, ale przyzwyczajenie stopniowo bierze górę i staje się potrzebą dzięki przyjemnemu poczuciu wewnętrznego oczyszczenia i skuteczniejszego chudnięcia.

Połączenie wody i białek silnie działa na cellulit

Dotyczy to tylko kobiet, bowiem cellulit to tkanka tłuszczowa, która pod wpływem hormonów gromadzi się i odkłada w typowych dla kobiet miejscach: na udach, biodrach i kolanach.

Zauważyłem, że nawet w przypadkach najbardziej opornych pacjentek, których diety bardzo często są nieskuteczne, kuracja proteinowa w połączeniu z ograniczeniem spożycia soli i zwiększoną konsumpcją lekko mineralizowanej wody pozwalały na bardziej harmonijną utratę wagi i umiarkowane, ale rzeczywiste zeszczuplenie w tak niewdzięcznych miejscach, jak uda czy wewnętrzna część kolan.

U takiej pacjentki plan Protal w porównaniu z innymi kuracjami odchudzającymi stosowanymi w różnych momentach życia pozwalał przy takiej samej liczbie utraconych kilogramów na największą utratę centymetrów w biodrach i udach.

Wyniki te można wyjaśnić wodoszczelnym działaniem białek i intensywną filtracją nerek dzięki spożyciu bardzo dużych ilości wody. Woda dostaje się do wszystkich tkanek, także tych dotkniętych skórką pomarańczową. Wpływa do nich nieskazitelnie czysta, a wypływa słona i zanieczyszczona. Do akcji usunięcia soli i toksyn z komórek dochodzi jeszcze silne działanie spalania białek, co razem przynosi efekt w postaci zmniejszenia cellulitu. Jest to, co prawda, działanie raczej skromne i tylko częściowe, ale i tak wyjątkowe jak na kurację odchudzającą, ponieważ większość znanych diet nie ma żadnego wpływu na cellulit.

Kiedy należy pić wodę?

W zbiorowej podświadomości wciąż pokutuje wiele przestarzałych i nieprawdziwych opinii, które każą nam wierzyć, że lepiej jest pić między posiłkami, aby uniknąć zatrzymywania wody przez pokarmy. Tymczasem unikanie picia w czasie posiłku nie ma żadnego fizjologicznego uzasadnienia, co więcej, może przynieść skutek odwrotny do zamierzonego.

Niepicie w czasie posiłku, gdy pojawia się pragnienie – a picie jest wtedy łatwe oraz przyjemne – grozi stłumieniem pragnienia i zapomnieniem o piciu w ciągu dnia, kiedy pochłonie nas całkowicie praca oraz codzienne czynności.

Podczas kuracji Protal, szczególnie w fazie uderzeniowej, należy koniecznie – poza wyjątkowymi przypadkami zatrzymywania wody w organizmie z powodu zaburzeń hormonalnych lub niewydolności nerek – pić półtora litra wody dziennie, najlepiej mineralnej, ale również pod jakąkolwiek inną postacią – herbaty, kawy czy ziółek.

Kubek herbaty na śniadanie, szklanka wody do południa, dwie następne do drugiego śniadania czy lunchu, po posiłku kawa, szklanka po południu, dwie szklanki do kolacji, i tak oto bez problemu wypijamy dwa litry wody.

Wiele pacjentek mówiło mi, że aby dużo pić mimo braku pragnienia, przyjęły mało elegancki, ale według nich skuteczny zwyczaj picia bezpośrednio z butelki.

Jaką wodę pić?

✓ W pierwszym okresie planu Protal, czyli fazie uderzeniowej opartej wyłącznie na czystych proteinach, należy pić wody niskozmineralizowane, lekko moczopędne i lekko przeczyszczające. Trzeba unikać wód, które zawierają zbyt dużo soli.

✓ Hydroxydase to woda źródlana szczególnie użyteczna w kuracjach oczyszczających, a zwłaszcza w przypadku nadwagi połączonej z cellulitem pojawiającym się na nogach. Woda ta, sprzedawana w aptekach w pojedynczych butelkach, może być z powodzeniem włączona do planu Protal. Należy pić na czczo jedną butelkę dziennie.

✓ Ci, którzy mają zwyczaj pić filtrowaną wodę z kranu, mogą to robić nadal. Najważniejsza jest taka ilość wypitej wody, by pobudzić nerki, a nie jej specyficzny skład chemiczny.

✓ Podobnie z wszelkimi naparami, ziółkami, herbatą, werbeną, lipą czy miętą. Wszyscy, którzy są do nich przyzwyczajeni i szczególnie zimą wolą pić napoje gorące, aby się rozgrzać, mogą się dalej delektować ich smakiem.

✓ Picie napojów gazowanych light, przede wszystkim coca--coli light, która jest dziś tak samo rozpowszechniona jak normalna coca-cola, jest nie tylko dozwolone. Sam nabrałem zwyczaju, by doradzać picie takich napojów w czasie kuracji odchudzających z kilku względów. Przede wszystkim wielu ludziom łatwiej wypić dwa zalecane litry płynów w takiej postaci. Ponadto zawartość cukrów i kalorii w tych napojach jest praktycznie żadna, jedna kaloria na szklankę, co odpowiada zaledwie wartości kalorycznej jednego orzeszka ziemnego na dużą butelkę. Cola light, tak jak i zwykła coca-cola, jest wymyślną mieszanką intensywnych smaków, a jej częste picie, szczególnie przez łasucha poszukującego słodkich doznań, może zmniejszyć chęć na coś słodkiego do zjedzenia. Wiele moich pacjentek stwierdziło, że pokrzepiające i beztroskie spożywanie napojów gazowanych light bardzo im pomagało w trakcie kuracji. Jedynym wyjątkiem jest dieta u dzieci i młodzieży, doświadczenie wykazało bowiem, że w tym wieku „cukier zastępczy" źle odgrywa swoją rolę i w bardzo znikomym stopniu osłabia potrzebę zjedzenia czegoś słodkiego. Ponadto nieograniczone spożycie słodkich napojów może wytworzyć przyzwyczajenie picia nie po to, by ugasić pragnienie, lecz dla samej przyjemności, i później może się przerodzić w bardziej niepokojące uzależnienia.

Woda jest najlepszym naturalnym środkiem sycącym

W języku potocznym często utożsamia się uczucie ssania w żołądku z uczuciem głodu, co nie jest całkiem błędne. Wypita w czasie posiłku i zmieszana z pokarmami woda zwiększa całkowitą objętość kęsa pokarmowego, powoduje rozciągnięcie żołądka i wrażenie zaspokojenia głodu, co jest pierwszą oznaką sytości lub przejedzenia. To kolejny argument za tym, aby pić przy stole. Doświadczenie dowodzi też, że efekt gestu picia i wypełnienia jamy ustnej działa również poza posiłkami, na przykład w najbardziej niebezpiecznym w ciągu dnia czasie, między godzinami 17 a 20. Duża szklanka dowolnego napoju często wystarczy, aby zmniejszyć ochotę na jedzenie.

Obecnie wśród najbogatszych narodów świata rozprzestrzenia się nowy rodzaj głodu. Jest to głód, który mieszkaniec Zachodu, osaczony przez nieskończony wybór dostępnych na wyciągnięcie ręki produktów żywnościowych, narzuca sobie sam, ale sięgając po te produkty, szybciej się starzeje lub umiera.

Zadziwiające, że w naszych czasach, gdy zwykli ludzie, instytucje i laboratoria farmaceutyczne marzą o odkryciu idealnego środka na zaspokojenie głodu, większość osób, których ten problem dotyczy, odmawia użycia środka tak prostego, nieszkodliwego i skutecznego w zmniejszeniu apetytu, jakim jest woda.

KURACJA TA MUSI ZAWIERAĆ JAK NAJMNIEJ SOLI

Sól jest niezbędna do życia i w różnym stopniu obecna we wszystkich pokarmach. Dlatego dodatkowa sól jest niepotrzebna, to tylko przyprawa, która poprawia smak potraw, zaostrza apetyt, a bardzo często używana jest po prostu z przyzwyczajenia.

Dieta uboga w sól nie stanowi żadnego zagrożenia

Można, a nawet powinno się przeżyć całe życie na diecie ubogiej w sól. Sercowcy, chorzy na niewydolność nerek, nadciśnieniowcy używają mało soli i nigdy nie cierpią na jej niedobór. Ostrożność powinni zachować tylko niskociśnieniowcy. Dieta zbyt uboga w sól, szczególnie w połączeniu z dużą konsumpcją wody, może zwiększyć filtrację krwi, zmniejszyć jej objętość i dodatkowo obniżyć ciśnienie, co może spowodować zmęczenie oraz zawroty głowy przy nagłym wstawaniu. Osoby z niskim ciśnieniem powinny ostrożnie stosować tę dietę i nie przekraczać spożycia półtora litra wody.

Zbyt słone pokarmy zatrzymują i wiążą wodę w tkankach

W gorących krajach regularnie rozdaje się robotnikom pastylki soli, aby nie odwodnili się na słońcu.

U kobiet, szczególnie tych o dużej aktywności hormonalnej, przed miesiączką, w okresie premenopauzy lub w ciąży, różne części ciała mogą się stać podatne na wchłanianie i zatrzymywanie dużych ilości wody.

U tych kobiet plan Protal, kuracja wodoszczelna w całym tego słowa znaczeniu, będzie w pełni skuteczna pod warunkiem ograniczenia do minimum ilość spożywanej soli, co pozwala wypitej wodzie przepłynąć szybciej przez organizm. Niemal identyczne zalecenia otrzymują pacjenci leczeni kortyzonem.

Często słychać osoby skarżące się, że potrafią w jeden wieczór przybrać na wadze kilogram lub nawet dwa, jeśli na chwilę odstąpią od diety. Zdarza się też, że wzrost masy ciała jest niewspółmierny do rzeczywistej liczby zjedzonych produktów. Kiedy przeanalizujemy posiłek, który doprowadził do tak nagłego przybrania na wadze, okazuje się często, że w żaden sposób nie mógł on dostarczyć takiej liczby kalorii, by organizm mógł przytyć całe dwa kilogramy, bo któż byłby w stanie w tak krótkim czasie pochłonąć 18 000 kalorii? Chodzi tu po prostu o połączenie posiłku zbyt słonego i za bardzo podlanego alkoholem. Połączenie soli z alkoholem wystarczy, aby zwolnić przepływ wypitej wody. Nie należy nigdy zapominać, że litr wody waży kilogram, a dziewięć gramów soli zatrzymuje jeden litr wody w tkankach przez dzień lub dwa.

Jeśli w trakcie kuracji zobowiązania zawodowe lub rodzinne narzucają nam obfity posiłek i zmusza nas to do odstąpienia od zaleceń diety, nie powinniśmy w tym czasie zbyt dużo solić i pić zbyt dużo alkoholu, a przede wszystkim nie powinniśmy się ważyć następnego dnia rano, bo widząc gwałtowne przybranie na wadze, można stracić zapał, determinację i wiarę w siebie. Należy poczekać dzień lub dwa, zaostrzając nieco dietę, zwiększając spożycie wody lekko mineralizowanej, ograniczając sól, a zastosowanie tych trzech środków wystarczy, aby powrócić do poprzedniej wagi.

Sól zwiększa apetyt, a jej ograniczenie zmniejsza go

Potrawy słone zwiększają wydzielanie śliny i soku żołądkowego, co z kolei pobudza apetyt.

I przeciwnie, potrawy mało słone bardzo lekko stymulują soki trawienne i nie wzmagają apetytu. Niestety, brak soli gasi także pragnienie, a osoba poddająca się kuracji Protal musi narzucić sobie – szczególnie w pierwszych dniach diety – zwiększone spożycie napojów, aby wywołać w organizmie większe zapotrzebowanie na płyny i spowodować powrót naturalnego pragnienia.

Podsumowanie

Dieta oparta na czystych proteinach, czyli ta, od której rozpoczynamy i która stanowi siłę napędową czterech połączonych w planie Protal diet, nie jest kuracją podobną do żadnej innej. Jedynie ona opiera się wyłącznie na jednym podstawowym składniku odżywczym i wyłącznie na jednej ściśle zdefiniowanej kategorii produktów o maksymalnej zawartości białka.

W tej diecie i na wszystkich kolejnych etapach planu Protal należy zapomnieć o liczeniu kalorii. Spożycie ich w małej czy dużej liczbie ma znikomy wpływ na rezultat, najważniejsze, by nie wykraczać poza jedną, jasno ustaloną kategorię produktów.

Protal jest jedyną kuracją, której sekret tkwi w tym, że je się dużo, wręcz na zapas, zanim pojawi się głód, bo kiedy się pojawi, stanie się niemożliwy do opanowania i nie da się zaspokoić tylko proteinami, na które pozwala dieta, ale skłoni wszystkich nieostrożnych do sięgnięcia po produkty gratyfikujące, o niskiej wartości odżywczej i olbrzymim ładunku emocjonalnym, słodkie i tłuste, kaloryczne i destabilizujące.

Skuteczność planu Protal całkowicie zależy od selekcji pokarmów: jest piorunująca, gdy odżywianie ogranicza się do wybranej kategorii produktów, a dużo mniejsza i sprowadzona do smutnej reguły liczenia kalorii, gdy się od tej kategorii odchodzi.

Tej kuracji nie można się poddać połowicznie. Rządzi nią zasada: „wszystko albo nic" nie tylko uzasadniająca jej metaboliczną skuteczność, ale i niezwykłe działanie psychologiczne, jakie ma na otyłych funkcjonujących przecież według tej samej zasady.

Człowiek otyły często jest obdarzony temperamentem nieznającym umiaru – jest równie ascetyczny w wysiłku, co spontaniczny w swawolach, dlatego na każdym z czterech etapów kuracji Protal znajdzie przedsięwzięcie na swoją miarę.

Podobieństwa między profilem psychologicznym otyłego a strukturą kuracji tworzą związek, którego znaczenie trudno zrozumieć niewtajemniczonym, ale w praktyce to on decyduje o skuteczności diety. Wzajemne przystosowanie wytwarza mocne przekonanie do kuracji, co ułatwia tracenie na wadze, i nabiera pełnego znaczenia na etapie ostatecznej stabilizacji, kiedy wszystko opiera się na jednym dniu diety proteinowej na tydzień, dniu wyrównania strat, punktowego i skutecznego uderzenia, które jedynie w tej formie może być zaakceptowane przez wszystkich od lat walczących ze skłonnością do nadwagi.

Plan Protal
w codziennej praktyce

Doszliśmy do decydującego momentu wprowadzania planu Protal w czyn. Wiemy teraz wszystko, co jest konieczne do zrozumienia zasady działania i skuteczności czterech składających się na niego diet.

W teoretycznym wstępie starałem się wytłumaczyć, że nie jest się otyłym przez przypadek i tusza, której dziś chcecie się pozbyć, jest częścią was samych, odrzucacie ją, ale ona jest odzwierciedleniem waszej natury, psychiki i osobowości. Mówi także o waszych genach i wrodzonej skłonności do tycia, waszej historii, funkcjonowaniu metabolizmu, charakterze, emocjach i bardzo często o szczególnym sposobie korzystania z przyjemności, jaki daje jedzenie łagodzące wasze małe i duże przykrości życiowe.

Pokazuje to, że sprawa nie jest tak prosta, na jaką wygląda, i wyjaśnia, dlaczego tyle osób – w tym być może również i wy – poniosło porażkę i mnóstwo kuracji nie przyniosło żadnych rezultatów.

Walka z tak potężną i pierwotną siłą, jaką jest potrzeba jedzenia, siłą pochodzącą z głębi jestestwa, wręcz zwierzęcą, nieokiełznaną, która zbija wszelkie rozsądne argumenty, nie może oczywiście opierać się na zwykłej, racjonalnej nauce zasad zdrowego żywienia, nawet najbardziej sensownej, ani tym bardziej na nadziei, że otyły może się sam kontrolować.

Aby mieć jakąkolwiek szansę przeciwstawienia się sile instynktu, należy walczyć z nim jego własną bronią, posługiwać się jego środkami, językiem i argumentacją o tym samym instynktownym podłożu.

Strach przed chorobą, potrzeba przynależności do grupy i przystosowania się do obowiązujących kryteriów mają to właśnie podłoże i są jedynym instynktownym murem obronnym zdolnym dzisiaj zmotywować i zmobilizować otyłego, ale wyciszają się przy pierwszej zmianie na lepsze, kiedy tylko poprawia się wygląd, ubrania stają się luźniejsze, a zadyszka przy wchodzeniu na schody znika.

Aby kuracja, a jeszcze lepiej całościowy plan działania został w ogóle podjęty, a później przestrzegany przez osobę otyłą, musi posłużyć się innym instynktownym bodźcem – argumentem autorytetu.

Musi być sformułowany przez zewnętrzny autorytet, wolę, która zastępuje wolę otyłego i stawia precyzyjne warunki niepodlegające interpretacji ani dyskusji, a przede wszystkim podtrzymywane w możliwej do zaakceptowania formie tak długo, jak długo zamierza się zachować osiągnięte wyniki.

Zbudowałem plan Protal, wykorzystując niezwykłą skuteczność naprzemiennej kuracji proteinowej, przystosowując go z biegiem lat do szczególnej psychiki osoby otyłej, przygotowując jej zestaw niezawodnych wskazań, które ukierunkowują jej skłonną do przesady i gwałtowną naturę, a także heroizm i entuzjazm, z jakimi wyrównuje swój brak wytrwałości w staraniach.

Z biegiem czasu zrozumiałem również, że żadna pojedyncza kuracja odchudzająca nie może sprostać tak trudnemu zadaniu, skonstruowałem więc globalny i spójny plan, w którym następują po sobie cztery uzupełniające się kuracje, aby osoba otyła nigdy nie została sam na sam ze swoimi pokusami i słabościami.

Nadszedł zatem moment, aby opisać, jak wprowadzić w życie ten „czteropiętrowy" plan.

Faza uderzeniowa:
kuracja oparta wyłącznie na proteinach

Niezależnie od warunków stosowania, czasu trwania i szczegółowych zaleceń plan Protal zaczyna się zawsze od kuracji opartej na czystych proteinach. Zalecam ją, aby wywołać impuls psychologiczny i efekt metabolicznego zaskoczenia, których wspólne działanie pociąga za sobą pierwszy, decydujący spadek wagi.

Przedstawię teraz szczegółowo wszystkie produkty żywnościowe, które będą wam towarzyszyć w pierwszej fazie, dodam do tego opis kilku rad ułatwiających dokonywanie wyborów.

Ile czasu powinien trwać pierwszy etap, aby początek kuracji był skuteczny i spełnił swoją funkcję? Na to niezwykle ważne pytanie nie ma standardowej odpowiedzi. Czas trwania powinien być dostosowany do każdego przypadku. Zależy przede wszystkim od liczby kilogramów, które zamierzamy stracić, ale również od wieku, liczby wcześniej stosowanych kuracji odchudzających, motywacji i szczególnego upodobania do pokarmów bogatych w proteiny.

Podam wam niezwykle precyzyjne informacje dotyczące rezultatów, jakich możecie się spodziewać po tej kuracji, oczywiście pod warunkiem że będziecie się skrupulatnie stosować do zaleceń diety i odpowiednio dobierzecie czas jej trwania.

Zasygnalizuję również różnorodne reakcje, z jakimi możecie się spotkać w okresie początkowym.

Dozwolone produkty

W tym okresie, który będzie trwał od jednego do dziesięciu dni, macie prawo do ośmiu niżej wyszczególnionych kategorii pokarmów.

Możecie jeść produkty z tych ośmiu kategorii bez żadnych ograniczeń, według własnych upodobań i niezależnie od pory dnia.

Wolno wam również mieszać te pokarmy.

Możecie wybrać te produkty, które lubicie, i nie uwzględniać innych; dozwolone jest odżywianie się wyłącznie jedną kategorią produktów w czasie posiłku, a nawet przez cały dzień.

Podstawą jest trzymanie się ściśle ustalonej listy. Zalecam ją od dawna i jestem pewien, że o niczym nie zapomniałem.

Musicie też wiedzieć, że najmniejsze odchylenie czy minimalne nawet przekroczenie granicy działa jak wbicie szpilki w balon.

Niegroźnie wyglądające odchylenie wystarczy, aby stracić drogocenny przywilej swobody jedzenia bez ilościowych ograniczeń.

Dla szczypty jakości stracicie dostęp do ilości i przez resztę dnia będziecie zmuszeni do żmudnego liczenia kalorii i ograniczenia ilości spożywanych pokarmów.

Zasada jest prosta i nie podlega dyskusji: wszystko, co figuruje na liście zamieszczonej poniżej, jest dostępne dla was bez żadnych ograniczeń, o tym, czego na niej nie ma, zapomnijcie na razie, wiedząc, że wkrótce wszystkie pokarmy powrócą do waszego jadłospisu.

Kategoria pierwsza: chude mięsa

Przez chude mięso rozumiem trzy rodzaje mięs: cielęcinę, wołowinę i koninę – dla tych nielicznych, którzy jeszcze ją jedzą.

✓ Wołowina: wszystkie kawałki na pieczeń lub grilla są dozwolone – befsztyk, polędwica, rostbef, zrazówka, kawałki bez tłuszczu. Należy natomiast starannie unikać antrykotu z kością i rozbratla z kością, które są zbyt przerośnięte tłuszczem.

✓ Cielęcina: najlepiej filety i pieczeń. Kotlety z kością są dozwolone pod warunkiem usunięcia otaczającego ją tłuszczu.

✓ Konina: wszystkie kawałki oprócz łaty są dozwolone. Konina jest zdrowym i bardzo chudym mięsem, jeśli ją lubicie, powinniście ją jeść bez obaw, najlepiej w środku dnia, jest to bowiem mięso o właściwościach pobudzających, spożyte zbyt późno może zakłócić sen.

✓ Wieprzowina i jagnięcina nie są dozwolone w kuracji uderzeniowej, która musi być jak najbardziej czysta i skuteczna.

Sposób przyrządzania tych mięs jest dowolny, lecz nie należy używać tłuszczu, masła, oliwy oraz śmietany, nawet odtłuszczonej.

Polecam smażenie na grillu, ale mięsa te mogą być równie dobrze pieczone w piekarniku, na rożnie, zawinięte w folię, a nawet gotowane.

Długość pieczenia czy gotowania pozostaje do indywidualnej oceny, trzeba jednak wiedzieć, że gotowanie i pieczenie mięsa pozbawia je stopniowo tłuszczu, zbliżając je w ten sposób do czystego białka, a do tego właśnie dąży kuracja.

Dozwolone są tatar i carpaccio, ale powinny być przygotowane bez oliwy.

Mięso mielone lub w formie hamburgera polecam tym, którym mięso w kawałku szybko się sprzykrzy i chętnie przygotują je w formie kuleczek z dodatkiem jajka, ziół, kaparów, upieczone w piekarniku.

Steki są dozwolone, ale należy uważać, aby zawartość tłuszczu nie przekraczała 10%. 15% to za dużo w fazie uderzeniowej.

Przypominam raz jeszcze, że ilości są nieograniczone.

Kategoria druga: podroby

W tej kategorii dopuszczalne są jedynie wątroba cielęca, wołowa lub wątróbki z drobiu i ozór.

Ozór cielęcy lub jagnięcy, mało tłusty, jest dozwolony. W przypadku wołowego należy spożywać raczej jego przednią część, która jest najchudsza, i unikać zbyt tłustej części tylnej.

Wartość wątroby wynikająca z dużej zawartości witamin jest niestety zmniejszona przez obfitość cholesterolu, dlatego osoby z grupy ryzyka chorób sercowo-naczyniowych muszą wykluczyć ją ze swojego jadłospisu.

Kategoria trzecia: ryby

W tej grupie pokarmów nie ma żadnych restrykcji ani ograniczeń. Wszystkie ryby są dozwolone: tłuste i chude, białe i niebieskie, świeże i mrożone, w konserwie w sosie własnym – nie w oleju, wędzone i suszone.

- ✓ Dozwolone są wszystkie tłuste ryby o niebieskiej skórze, to znaczy sardynka, makrela, tuńczyk, łosoś.
- ✓ Wszystkie białe i chude ryby również, jak sola, czarniak, dorsz, dorada, barwena, okoń, merlan, reja, pstrąg, rdzawiec, miętus i wiele innych.
- ✓ Ryby wędzone, szczególnie wędzony łosoś, który, mimo że błyszczy od tłuszczu, nie zawiera go więcej niż stek. Podobnie z wędzonym pstrągiem, węgorzem i łupaczem.
- ✓ Ryby w konserwach, bardzo przydatne jako posiłek na szybko lub przekąska, na przykład tuńczyk, łosoś, makrela w białym winie, spożyta bez sosu. Są dozwolone tylko w sosie własnym.
- ✓ Surimi, stosunkowo nowy produkt spreparowany z wykorzystaniem chudej białej ryby, aromatyzowany sosem z kraba z niewielką ilością cukru. Jest bardzo praktyczny w użyciu, bez zapachu, łatwy do zabrania ze sobą, niewy-

magający żadnego przygotowania ani gotowania, można go schrupać jako przekąskę o każdej porze dna.

Ryby należy przygotowywać bez dodatku tłuszczu, polane cytryną i przyprawione aromatami lub pieczone w piekarniku, nadziane ziołami i cytryną, gotowane na wywarze z jarzyn albo jeszcze lepiej w folii, dla zachowania całej esencji smaków.

Kategoria czwarta: owoce morza

W tej kategorii pokarmów znajdują się wszystkie skorupiaki i mięczaki.

✓ Krewetki szare i różowe, gambasy (olbrzymie krewetki), kraby, krab pustelnik, brzegówki, homary, małe i duże langusty, ostrygi, mule, muszlaki i muszle świętego Jakuba (przegrzebki).

Nie należy zapominać o tych produktach, bowiem wprowadzają do jadłospisu urozmaicenie i nadają kuracji odchudzającej odświętny charakter. Są także bardzo sycące.

Kategoria piąta: drób

✓ Wszelki drób, oprócz ptactwa o płaskich dziobach, kaczek i gęsi, jest dozwolony, pod warunkiem że spożywamy go bez skóry.

✓ Najpopularniejszym i najpraktyczniejszym drobiem w przypadku kuracji opartej na proteinach jest kurczak. Wszystkie jego części są dozwolone oprócz zbyt tłustej części skrzydełek, gdzie nie można oddzielić skóry. Trzeba jednak wiedzieć, że istnieje wyraźna różnica zawartości tłuszczu między różnymi częściami kurczaka. Najchudsze mięso to pierś, potem udko, następnie skrzydełko. Powinniśmy wybierać jak najmłodszego kurczaka.

- ✓ Indyk w każdej postaci, filet na patelni lub natarte czosnkiem, pieczone w piekarniku udo, młody indyk, perliczka, gołąb, przepiórka oraz dziczyzna, jak bażant, kuropatwa, a nawet dzika kaczka, która jest chuda.
- ✓ Chudym mięsem, które można spożywać pieczone lub duszone w musztardzie albo białym chudym serze, jest królik.

Kategoria szósta: chude wędliny

Od jakiegoś czasu można znaleźć w supermarketach szynkę wieprzową light, a także lekko wędzoną szynkę z indyka lub z kurczaka o zawartości tłuszczu 4–2%, czyli mniejszej niż najchudsze mięso czy ryba. Są więc nie tylko dozwolone, ale i polecane ze względu na dostępność i łatwość w użyciu. Dostępne w foliowych opakowaniach, pokrojone, niebrudzące i bez zapachu, łatwo je zatem zabrać ze sobą i przyrządzić posiłek w ciągu dnia. Nawet jeśli nie dorównują smakiem tradycyjnym wędlinom, ich wartość odżywcza jest pod każdym względem porównywalna. Przypominam, że prawdziwa szynka i golonka są zabronione, a tym bardziej szynka surowa i wędzona.

Kategoria siódma: jaja

Jaja można jeść na twardo, na miękko, sadzone, omlet czy jajecznicę – usmażone na teflonowej patelni, to znaczy bez dodatku oleju i masła.

Aby konsumować je w sposób bardziej wyrafinowany i mniej monotonny, możecie dodać do nich kilka krewetek czy langust, a nawet kawałki kraba. Można je również przyrządzić z posiekaną cebulą à la hiszpańska tortilla lub ze szparagami.

W kuracji odchudzającej, w której nie ma ograniczeń ilościowych, jaja mogą stwarzać problemy związane z zawartością cholesterolu lub nietolerancją pokarmową.

Jaja są rzeczywiście bogate w cholesterol i nadmierne ich spożywanie jest niewskazane w przypadku osób z wysokim poziomem cholesterolu we krwi. W tym przypadku radzi się ograniczyć konsumpcję do trzech lub czterech żółtek tygodniowo, białko można jeść bez ograniczeń.

Warto w takim razie przygotowywać sobie omlety i jajecznice, używając jednego żółtka na dwa białka.

W przypadku nietolerancji jaj – zdarzają się alergie na żółtko, ale są bardzo rzadkie – pacjent cierpiący na takie uczulenie doskonale o tym wie i potrafi go unikać.

Dużo bardziej rozpowszechnione jest złe trawienie jaj, które często błędnie przypisuje się wrażliwości wątroby. Poza jajami złej jakości lub nieświeżymi wątroba nie znosi smażonego masła, którego używamy do przygotowania potraw z jaj. Jeśli nie macie alergii na żółtko i przygotowujecie potrawę bez tłuszczu, możecie bez żadnego problemu spożywać dwa jaja dziennie podczas krótkiego czasu trwania fazy uderzeniowej.

Kategoria ósma: chudy nabiał (jogurty, serki homogenizowane, twarożki niezawierające tłuszczu)

Produkty te stworzone, by ułatwić zdrowe i nietuczące odżywianie, są prawdziwym nabiałem, jak serki, jogurty i twarożki tradycyjne, lecz nie zawierają tłuszczu. Ponieważ proces przetwarzania mleka w ser pozbawia je laktozy, jedynego cukru zawartego w mleku, chudy nabiał zawiera praktycznie tylko białko, zatem jego znaczenie w kuracji uderzeniowej, gdy poszukuje się jak najczystszych białek, jest ogromne.

Kilka lat temu producenci nabiału wprowadzili na rynek nową generację chudych jogurtów słodzonych aspartamem i aromatyzowanych lub wzbogaconych pulpą owocową. O ile słodzik i aromaty są tylko wabikami pozbawionymi wartości kalorycznej, wzbogacenie jogurtów i serów w owoce wprowadza niewielką ilość niepożądanych węglowodanów. Niedogodność tę w dużym stopniu rekompensujemy tym, że te smaczne i lubiane produkty mogą być spożywane jako deser, ułatwiając przestrzeganie diety.

Nabiał z aspartamem jest zatem dozwolony. Należy tylko zwracać uwagę, aby wybrać produkty bez zawartości tłuszczu, na rynku jest bowiem dostępny nabiał bez cukru, ale wyprodukowany z pełnego mleka, zdecydowanie bardziej kaloryczny, tłusty i słodki, który należy absolutnie wykluczyć z diety.

Chudy nabiał o owocowych smakach jest dozwolony w umiarkowanej liczbie (dwa razy dziennie), jednak ci, którzy pragną od razu uzyskać piorunujące efekty kuracji, powinni go unikać w fazie uderzeniowej.

Kategoria dziewiąta: półtora litra płynów dziennie

To jedyna kategoria produktów, których spożywanie jest obowiązkowe, wszystkie pozostałe są fakultatywne. Nawet jeśli się powtarzam, powiem raz jeszcze: spożycie płynów jest nieodzowne i nie podlega dyskusji. Bez tego intensywnego drenażu nawet przy skrupulatnym przestrzeganiu pozostałych zaleceń diety proces utraty wagi zatrzyma się, a uboczne produkty spalania tłuszczów nagromadzą się w organizmie w takiej ilości, że wygaszą ogień.

Wskazane są wszystkie rodzaje wody, a zwłaszcza wody źródlane lekko moczopędne.

Jeśli nie odpowiada wam woda niegazowana, nic nie stoi na przeszkodzie, by pić wody gazowane, bąbelki i gaz nie mają wpływu na kurację, powinno się jedynie unikać soli w napojach. Ponadto, jeśli niechętnie sięgacie po napoje zimne, powinniście wiedzieć, że kawa, herbata i każdy napar ziołowy są równie wartościowe jak woda, więc każda wypita filiżanka wlicza się do półtora litra płynów, które powinniśmy wypić.

Napoje light, takie jak coca-cola lub każdy inny, zawierające tylko jedną kalorię na szklankę, są dozwolone na wszystkich etapach planu Protal.

Dietetycy nie są zgodni co do wartości napojów gazowanych słodzonych aspartamem. Niektórzy uważają, że organizm potrafi wykryć i zrównoważyć efekt przynęty. Inni twierdzą, że ich picie utrwala upodobanie do słodyczy i potrzebę spożywania cukru.

Praktyka nauczyła mnie, że nawet bardzo długie powstrzymywanie się od jedzenia słodyczy nigdy nie wypleni upodobania do słodkiego smaku i potrzeby spożywania cukru. Nie widzę więc żadnego powodu, aby pozbawiać was tego nieobciążonego kaloriami smaku. Ponadto zauważyłem, że picie słodkich napojów bardzo ułatwia dostosowanie się do wymogów kuracji. Ich smak, aromat, intensywny kolor, musowanie i pewna wyjątkowa aura, która się z nimi łączy, sprawia, że są to produkty silnie działające na nasze zmysły, a ich spożywanie traktujemy jak nagrodę, co tłumi ochotę na „coś innego" – tak częstą u łakomczuchów na diecie.

Środki wspomagające

- ✓ Chude mleko, świeże lub w proszku, jest dozwolone i może poprawić smak lub konsystencję herbaty czy kawy, można też używać go do wyrobu sosów, kremów, budyniów itp.
- ✓ Zabroniony jest cukier, ale bez ograniczeń możemy używać aspartamu, czyli najbardziej znanego i najczęściej używanego na świecie syntetycznego słodziku. Mogą go używać nawet kobiety w ciąży, co świadczy o jego całkowitej nieszkodliwości.
- ✓ Ocet, zioła, tymianek, czosnek, pietruszka, cebula, szalotka, szczypiorek itp. oraz wszystkie przyprawy są nie tylko dopuszczalne, ale gorąco polecane. Pozwolą wzbogacić smak spożywanych potraw i podnieść ich wartość sensoryczną, to znaczy wzmocnić odbiór wrażeń smakowych z jamy ustnej przez ośrodki nerwowe odpowiedzialne za uczucie sytości, co zwiększy ich właściwości sycące.

✓ Dozwolone są korniszony i marynowane cebulki, jeśli będą
używane w charakterze przyprawy, wychodzą jednak poza
spektrum diety czysto proteinowej, jeśli zjadamy je w takich
ilościach, że należałoby traktować je jako warzywa.

✓ Cytryna może być używana, aby nadać zapach rybom
i owocom morza, ale nie należy pić jej świeżo wyciśnię-
tego soku, nawet bez cukru, bo nie jest już wtedy przyprawą, lecz owocem, z pewnością kwaśnym, ale z zawartością cukru, a więc nieprzystającym do diety opartej na
czystych proteinach.

✓ Sól i musztarda są dopuszczalne, ale należy korzystać
z nich z umiarem, szczególnie w przypadku skłonności do
zatrzymywania wody, co jest wyjątkowo częste u nastola-
tek w okresie pierwszych miesiączek, u kobiet w okresie
premenopauzy lub w trakcie wprowadzania zastępczej terapii hormonalnej. Dla tych, którzy nie potrafią się obyć
bez tych smaków, istnieją musztardy bez soli lub sole die-
tetyczne z małą ilością sodu.

✓ Niedopuszczalny jest zwykły ketchup, zawiera bowiem
jednocześnie dużo cukru i soli, są jednak ketchupy diete-
tyczne bez cukru, które mogą byś stosowane w umiarkowanych ilościach.

✓ Gumy do żucia mogą okazać się bardzo pożyteczne dla
wszystkich przyzwyczajonych do odruchowego podjadania. Figurująca na nich wzmianka „bez cukru" jest jednak niewystarczająca i aby można je było pogodzić z kuracją czysto proteinową, powinny być słodzone wyłącznie
aspartamem, a nie jak większość z nich sorbitolem, który jest cukrem wolniej przyswajanym niż sacharoza, ale
mimo wszystko cukrem.

✓ Zabronione są wszelkie oleje. Nawet jeśli niektóre oliwy,
jak oliwa z oliwek, znane są ze swojego korzystnego wpływu na serce i układ krążenia, są jednak czystymi tłuszczami, nie ma więc dla nich miejsca w tej kuracji.

Kilka ogólnych rad

Jedzcie tak często, jak chcecie

Nie zapominajcie, że tajemnica tej kuracji polega na tym, by jeść
dużo i zanim pojawi się głód, co pozwoli oprzeć się każdemu ku-
szącemu pokarmowi, który nie figuruje na naszej liście.

Nigdy nie omijajcie posiłku

To poważny błąd wynikający często z dobrych chęci, ale grozi
powolną destabilizacją kuracji. To, co zaoszczędziliśmy, nie zjadając jednego posiłku, organizm zrekompensuje sobie przy następnym, podczas którego na pewno zjemy więcej. Taka oszczęd-
ność zwróci się przeciwko nam, bowiem przy następnym posiłku
organizm, próbując uzupełnić braki, maksymalnie wykorzysta
energetyczną wartość dania. Ponadto powściągany i podsycany
głód sprawi, że będziemy chcieli sięgnąć po bardziej sycące lub
słodkie produkty. Zmusi nas to do większego wysiłku woli, by
oprzeć się pokusie, a zbyt wiele pokus może zniszczyć nawet największą motywację.

Pijcie w trakcie jedzenia

Z niezrozumiałych dla mnie przyczyn w świadomości zbiorowej wciąż pokutuje przestarzałe, pochodzące jeszcze z lat siedemdziesiątych zalecenie, by nie pić w trakcie jedzenia. Zasada ta, która nie ma żadnego znaczenia dla ogółu ludzi, może okazać się zgubna dla tego, kto poddał się diecie, szczególnie opartej na czystych proteinach. Zaniedbując bowiem picie przy jedzeniu, narażamy się na zapominanie o piciu w ogóle. Ponadto picie przy jedzeniu zwiększa objętość kęsa pokarmowego i powoduje uczucie sytości, a nawet przepełnienia żołądka. Poza tym woda rozpuszcza pokarmy, spowalnia proces ich pochłaniania i przedłuża uczucie sytości.

Zawsze miejcie pod ręką produkty niezbędne w waszej diecie

Musicie mieć zawsze pod ręką lub w lodówce duży wybór produktów z ośmiu kategorii. Muszą stać się waszymi przyjaciółmi i nieodzownymi towarzyszami. Zabierajcie je ze sobą w podróż, bo większość produktów proteinowych wymaga przygotowania i, w przeciwieństwie do węglowodanów oraz tłuszczów, nie tak łatwo je przechowywać, dlatego trudniej je znaleźć w szafach i szufladach niż ciastka i czekoladę.

Zanim coś zjecie, upewnijcie się, że produkt figuruje na liście

Aby mieć pewność, przez pierwszy tydzień trzymajcie tę listę przy sobie. Jest ona prosta i sprowadza się do kilku linijek: chude mięsa i podroby, ryby i owoce morza, drób, szynka i jaja, nabiał oraz woda.

Śniadanie

Śniadanie jest często obiektem szczególnych wątpliwości, ponieważ kultura francuska, w przeciwieństwie do anglosaskiej, przyzwyczaiła nas do unikania produktów proteinowych w czasie porannego posiłku. Wpisuje się ono jednak w logikę diety opartej na czystych proteinach. Do kawy czy herbaty, osłodzonej aspartamem lub nie, możemy dodać trochę chudego mleka, dołączyć do tego jogurt, jajko na miękko, plaster szynki z indyka lub chudej szynki, co z punktu widzenia dietetyki jest dużo bardziej satysfakcjonujące niż słodka bułeczka czy czekoladowe płatki śniadaniowe, a poza tym dużo bardziej sycące i ożywcze. Dla osób niepotrafiących się obejść bez płatków śniadaniowych lub cierpiących na zaparcia, a także dla osób z dużym apetytem lub „opornych" na wszelkie diety przygotowałem przepis na placki, które bez problemu można włączyć do jadłospisu.

Przygotowuje się je, mieszając jedną łyżkę stołową otrąb pszennych, dwie łyżki stołowe otrąb owsianych, jedno jajko lub białko z jajka, zależnie od apetytu i konieczności zwracania uwagi na cholesterol, jedną łyżkę stołową chudego serka homogenizowanego. Całość usmażyć na teflonowej patelni, rozprowadzając na niej uprzednio odrobinę oliwy za pomocą ręcznika papierowego. Takie danie, będące kompromisem między plackami, naleśnikami i blinami, jest obfite we włókna rozpuszczalne. Liczne badania wykazały, że włókna rozpuszczalne, nasycając się wodą, nabierają masy w przewodzie pokarmowym i formują się w żel, w którego wakuolach uwięzione są substancje odżywcze i kalorie przechodzące wraz z nim do kału. Jednak, mimo ogromnego znaczenia włókien pokarmowych, dania tego nie można spożywać częściej niż raz dziennie bez zakłócenia szczególnego sposobu działania czystych protein.

W restauracji

Jest to jedna z sytuacji, w których najłatwiej zachować dietę proteinową. Po przystawkach, na przykład w postaci jaja w gala-
recie, plastra wędzonego łososia albo półmiska owoców morza,
można wybierać między wołowym rumsztykiem, wołową po-
lędwicą z grilla, kotletem cielęcym, rybą lub drobiem. Trudności mogą się pojawić po daniu głównym, kiedy amator słodyczy
lub serów staje wobec pokusy zamówienia deseru. Najlepszą
strategią obronną jest zamówienie kawy, lub nawet dwóch, jeśli
dyskusja się przedłuża. Niektóre restauracje zaczynają proponować produkty mleczne ze zmniejszoną zawartością tłuszczu
lub chude. Jeśli tak nie jest, najlepiej mieć w pracy czy w samo-
chodzie jogurty naturalne lub o smaku owocowym, które pozwolą zwieńczyć posiłek świeżym deserem o jedwabistej konsystencji.

Czas trwania kuracji uderzeniowej

Decydujący wybór

To jedna z najważniejszych decyzji, jakie musimy podjąć w planie Protal, ponieważ początkowy błyskawiczny atak proteinami
jest jednocześnie starterem nadającym pierwszy impuls, a także
formą i podstawą dla pozostałych trzech faz, aż do ostatecznej
stabilizacji.

Proteiny są pokarmem, którego gęstość i długa obecność
w przewodzie pokarmowym wytwarza solidne uczucie sytości.
Podczas ich rozkładu metabolicznego produkowane są hormony
peptydowe znane z tego, że wzmagają uczucie nasycenia. Te dwie
cechy protein sprawiają, że można się dzięki nim przeciwstawić
kompulsywnemu jedzeniu i wprowadzić trochę porządku tam,
gdzie odżywianie jest chaotyczne i niezdrowe.

Dzięki swojej niezwykłej skuteczności kuracja daje natychmiastowe i widoczne wyniki, co wprawia w euforię, dodaje pacjentom energii i zwiększa ich wolę walki.

Ponieważ tak ważne jest odniesienie sukcesu w tym pierwszym okresie, należy precyzyjnie ustalić optymalny czas jego trwania.

Średni czas trwania kuracji uderzeniowej wynosi pięć dni

W tym czasie można uzyskać najlepsze wyniki, nie powodując przy tym zaburzeń metabolizmu i nie nużąc zbytnio osoby, która stosuje kurację. Taka długość pierwszej fazy najlepiej też odpowiada utracie wagi wynoszącej 10–20 kg. Pod koniec rozdziału zajmiemy się oszacowaniem wyników, jakich można się spodziewać przy bezbłędnym stosowaniu kuracji.

Cele mniej ambitne, poniżej 10 kg

Najlepszym rozwiązaniem jest atak trzydniowy, który pozwala przejść bez wysiłku do fazy naprzemiennej diety proteinowej

Czasami, aby stracić mniej niż 5 kg

Kiedy nie chcemy zaczynać zbyt gwałtownie, wystarczy jeden dzień ostrej diety. Dzień ten, zwany uwerturą, poprzez wywołany nagłą zmianą efekt zaskoczenia organizmu pozwala na zaskakującą utratę wagi, wystarczającą, aby zachęcić i zmotywować pacjenta do dalszej kuracji.

Dla poważnie otyłych

W tych szczególnych przypadkach, kiedy chcemy stracić ponad 20 kg albo mamy ogromną motywację lub przeszliśmy wcześniej wiele nieudanych kuracji odchudzających, faza ta może, za zgodą lekarza, dojść do siedmiu, a nawet dziesięciu dni, pod warunkiem że będziemy bardzo dużo pić.

Reakcje organizmu w trakcie kuracji proteinowej

Zaskoczenie i potrzeba przyzwyczajenia się do nowego sposobu odżywiania

Pierwszy dzień jest czasem dostosowania i walki. Oczywiście zostawia szeroko otwarte drzwi dla wielu znanych i smacznych produktów żywnościowych, zamyka je jednak przed wieloma innymi, które otyły przyzwyczaił się konsumować, nie zawsze zdając sobie sprawę z ich liczby i ilości.

Najlepszym sposobem, by poradzić sobie z poczuciem ograniczenia, które mogą mieć osoby z mniejszą motywacją, jest korzystanie w pełni z możliwości oferowanych przez tę kurację – pierwszą dietę pozwalającą jeść „do woli" produkty pożywne i wartościowe, jak mięso wołowe i cielęce, wszelkie ryby, łącznie z wędzonym łososiem, tuńczyki w puszce, łupacze, surimi, ostrygi, langusty, jajecznicę, mnóstwo produktów nabiałowych ze zmniejszoną zawartością tłuszczu i cukru, chudą wędlinę, nie zapominając o budyniach na chudym mleku. Pierwszego dnia jedzcie więcej. Zastąpcie jakość przez ilość. A przede wszystkim zorganizujcie to tak, aby zawsze mieć pod ręką, w szafkach czy lodówce, „wszystkie" niezbędne dozwolone produkty.

Pijąc więcej, będziecie mieli wrażenie „przepełnionego" i szybciej nasyconego żołądka. Będziecie często oddawać mocz, ponieważ nerki, nieprzyzwyczajone do takiej ilości płynów, zostaną zmuszone do otwarcia zaworów i wydalania.

Drenowanie to osuszy tkanki, tak często nasączone u kobiet, które mają tendencje do zatrzymywania wody w kończynach dolnych, udach i kostkach, w spuchniętych palcach i na twarzy.

Następnego dnia rano wejdźcie na wagę, będziecie zaskoczeni rozmiarem pierwszych rezultatów.

Ważcie się często, szczególnie przez pierwsze trzy dni. Zmiany mogą następować z godziny na godzinę. Warto zachować zwyczaj codziennego ważenia się przez całe życie, bowiem o ile waga jest wrogiem tego, który tyje, o tyle jest przyjaciółką i nagrodą dla szczuplejącego, a nawet najmniejsza strata kilogramów skutecznie stymuluje do dalszej pracy.

Podczas dwóch pierwszych dni może pojawić się lekkie zmęczenie i mniejsza odporność na przedłużający się wysiłek.

Jest to okres zaskoczenia, kiedy ciało spala kalorie bez oporu i zastanowienia. Ale w tym czasie nie narzucajmy mu zbyt dużego wysiłku, należy unikać zbyt forsownych ćwiczeń fizycznych, sportów wyczynowych, a przede wszystkim narciarstwa wysokogórskiego. Nic nie stoi na przeszkodzie, by uprawiać gimnastykę, jogging lub pływanie, jeśli macie to w zwyczaju.

Począwszy od trzeciego dnia, zmęczenie znika i zazwyczaj ustępuje miejsca poczuciu euforii i energii, które zwiększają się jeszcze pod wpływem tego, co pokazuje wskaźnik wagi.

Trochę nieprzyjemny oddech i wrażenie suchości w ustach

Symptomy te nie są specyficzne dla kuracji proteinowej, lecz dla każdej kuracji odchudzającej, a w tym przypadku będą trochę bardziej zauważalne niż w kuracjach o rytmie bardziej progresywnym. Oznaczają, że chudniecie, powinniście więc przyjąć z satysfakcją te informacje o sukcesie. Należy więcej pić, aby złagodzić niepożądane objawy.

Po czwartym dniu pojawia się zaparcie

Odczuwane jest bardziej przez osoby, które mają skłonności do zaparć, i te, które nie piją wystarczającej ilości wody. Inni wypróżniają się rzadziej, jednak nie można mówić o zatwardzeniu. Chodzi tu o znaczne zmniejszenie objętości stolca, ponieważ produkty bogate w białka zawierają bardzo mało włókien, a pokarmy, które zawierają ich najwięcej, owoce i jarzyny, jeszcze nie są dozwolone na tym etapie diety. Jeśli zmniejszenie stolca was niepokoi, wystarczy kupić otręby pszenne w płatkach i dodawać je do jogurtów lub przygotować placki z otrąb pszennych i owsianych, jajka i białego serka. Jeśli to nie wystarczy, weźcie łyżkę oleju parafinowego na zakończenie głównego posiłku. Przede wszystkim jednak należy pić według wskazań diety, bo woda nie tylko ma właściwości moczopędne, ale także zmiękcza stolec, ułatwia wydalanie i wspomaga przechodzenie zawartości jelitowej.

Uczucie głodu znika po trzecim dniu kuracji

Ten zaskakujący zanik głodu związany jest ze zwiększonym wydzielaniem osławionych hormonów peptydowych, najlepszych naturalnych biomarkerów uczucia sytości. U tych, którzy nie są pasjonatami mięsa i ryb, łatwo przychodzi znużenie, a monotonia ma znaczny wpływ na apetyt. Doskwierający głód i silna chęć zjedzenia czegoś słodkiego zupełnie zanikają. Dzienne porcje wysokobiałkowych posiłków, na początku bardzo duże, stopniowo maleją.

Czy należy brać witaminy?

Polecam, lecz nie jest to niezbędne w tym krótkim trzy- lub pięciodniowym okresie. Jeśli natomiast następna faza diety ma zmierzyć się z bardzo dużą nadwagą i przeciągnąć w czasie, warto zażywać codzienną dawkę multiwitaminy, uważając na przedawkowanie i hiperwitaminozę, która może okazać się toksyczna. W praktyce często lepiej spożywać pokarmy bogate w witaminy i przyrządzić sobie dwa razy w tygodniu plaster cielęcej wątroby oraz zjeść łyżkę drożdży piwnych codziennie rano, a gdy tylko będą dozwolone warzywa, przygotować obfitą sałatkę z zielonej sałaty, surowej papryki, pomidorów, marchwi i cykorii.

Jakich rezultatów można się spodziewać po kuracji uderzeniowej?

Ogólne czynniki utrudniające i ułatwiające utratę wagi

Spadek wagi dzięki zastosowaniu diety proteinowej jest – w tak krótkim czasie – największy, jakiego można się spodziewać przy zastosowaniu kuracji opartej na pokarmach i porównywalny do osiąganego przy stosowaniu preparatów w proszku lub po całkowitym poście.

Spadek ten zależy jednak od wagi początkowej. Ciało osoby ważącej ponad sto kilo łatwiej rozstanie się ze swoimi kilogramami niż ciało szczupłej kobiety, która przed wakacjami chce stracić świeżo nabyte zapasy tkanki tłuszczowej

Znaczenie ma tu również „uodpornienie" na kuracje odchudzające spowodowane wielokrotnym stosowaniem różnych diet oraz wiek, a u kobiet okresy znacznych zmian hormonalnych, jak dojrzewanie, następstwa ciąży, przyjmowanie pigułek antykoncepcyjnych, premenopauza i związane z nią czasowe rozregulowanie hormonalne, a przede wszystkim przedłużające się stosowanie hormonalnej terapii zastępczej.

Pięciodniowy atak wyłącznie czystymi proteinami

W tym najczęściej praktykowanym i najskuteczniejszym przypadku traci się zazwyczaj 2–3 kg. Utrata może sięgnąć 4, a nawet 5 kg u bardzo otyłych, szczególnie mężczyzn aktywnych, może ograniczyć się do zaledwie 1 kg u kobiet w okresie menopauzy i na początku terapii hormonalnej, kiedy są podatne na zatrzymywanie wody i opuchnięcia.

Należy również pamiętać, że trzy–cztery dni przed miesiączką ciało kobiety zatrzymuje wodę. Ogranicza to usuwanie toksyn z organizmu i spowalnia spalanie tkanki tłuszczowej, co chwilowo zmniejsza skuteczność kuracji i blokuje utratę wagi. Proces jej utraty nie został jednak przerwany, lecz tylko zakamuflowany przez zatrzymanie wody w organizmie i powróci na drugi lub trzeci dzień po pojawieniu się krwawienia.

Ta stagnacja, jeśli nie jest zrozumiana i właściwie zinterpretowana, może doprowadzić do rozpaczy kobiety, które słusznie uznają, że ich wysiłki nie zostały wynagrodzone, złamać determinację i skłonić do porzucenia kuracji. Należy zawsze poczekać do końca pierwszego etapu kuracji, zanim podejmie się taką decyzję, gdyż zaraz po usunięciu wody z organizmu po menstruacji nierzadko zdarza się zawrotny spadek wagi o 1, a nawet 2 kg w ciągu jednej nocy spędzonej na ciągłym wstawaniu do toalety.

Faza ataku proteinowego trwająca tylko trzy dni

Utrata na wadze w tym przypadku wynosi 1–2,5 kg.

Atak jednodniowy

Zazwyczaj traci się 1 kg, ponieważ tego dnia efekt zaskoczenia jest największy.

Memento kuracji uderzeniowej

W tym okresie trwającym od jednego do dziesięciu dni możecie żywić się ośmioma kategoriami produktów wymienionymi poniżej.

Z tych ośmiu kategorii możecie dowolnie wybierać to, na co macie ochotę, bez żadnych ograniczeń i o każdej porze dnia.

Wolno wam również te produkty dowolnie ze sobą łączyć.

Zasada jest zatem prosta i nie podlega dyskusji: wszystko, co jest wymienione na zamieszczonej poniżej liście, jest całkowicie dozwolone, a to, czego na niej nie ma, jest zakazane, zapomnijcie o tym na razie, wiedząc, że w niedalekiej przyszłości pokarmy te wrócą do waszego jadłospisu.

✓ Chude mięso: cielęcina, konina, wołowina z wyjątkiem antrykotu i rozbratla z kością, wszystko na grillu lub pieczone w piekarniku bez dodatku tłuszczu.

✓ Podroby: wątroba, cynadry, ozór cielęcy lub wołowy (czubek).

✓ Wszystkie ryby, tłuste, chude, o białej lub niebieskiej skórze, surowe, pieczone lub gotowane.

✓ Owoce morza (skorupiaki i mięczaki).

✓ Drób oprócz kaczki i bez skóry.

✓ Chuda szynka, chude wędliny z indyka, kurczaka lub wieprzowe.

✓ Jaja.

✓ Chude produkty nabiałowe.

✓ Półtora litra wody z małą zawartością soli mineralnych.

✓ Środki wspomagające: kawa, herbata, herbatki ziołowe, ocet, zioła, przyprawy, korniszony, cytryna (nie jako napój), sól i musztarda (umiarkowanie).

Poza środkami wspomagającymi i ośmioma poprzednio opisanymi kategoriami, nie wolno wam jeść NIC INNEGO.

Produkty, które nie są wymienione na tej liście, są zabronione w fazie kuracji uderzeniowej.

Skoncentrujcie się na tym, co jest dozwolone, i zapomnijcie o reszcie.

Urozmaicajcie wasz jadłospis, jedząc te produkty po kolei lub dowolnie je mieszając, i zawsze pamiętajcie, że możecie bez obaw korzystać ze wszystkich figurujących na liście składników.

Faza równomiernego rytmu.
Naprzemienna kuracja proteinowa

Koniec diety uderzeniowej oznacza wdrożenie planu Protal i rozpoczęcie naprzemiennej kuracji proteinowej mającej doprowadzić nas do upragnionej wagi.

Faza ta będzie się składała z dwóch stosowanych naprzemiennie kuracji: diety opartej na proteinach łączonych z warzywami oraz diety czysto proteinowej, i tak na zmianę, aż do osiągnięcia ustalonej wagi.

Opisaliśmy już szczegółowo dietę opartą na czystych proteinach, teraz zajmiemy się dietą: proteiny + warzywa.

Również w tym przypadku, podobnie jak w fazie uderzeniowej, rytm wymiany dwóch diet nie jest jednolitym standardem, lecz dostosowuje się do każdej sytuacji i każdego przypadku zgodnie z warunkami, które opiszę w tym rozdziale. Jednak najczęściej stosowanym i najskuteczniejszym modelem jest rytm pięciu dni z warzywami, które poprzedza pięć dni bez warzyw.

Po odbyciu kuracji uderzeniowej opartej wyłącznie na czystych proteinach, zwłaszcza jeśli trwała ona pięć dni, szczególnie mocno odczuwamy brak zielonych warzyw i surówek, ale idealnie się składa, bo właśnie nadszedł moment ich wprowadzenia do jadłospisu.

Chcę jasno powtórzyć, że to, co było dozwolone w diecie proteinowej, pozostaje nadal dozwolone z zachowaniem tej samej wolności w kwestii ilości, godzin spożycia i swobodnego łączenia produktów. Nie popełnijcie błędu, który czasami się zdarza, polegającego na żywieniu się wyłącznie warzywami i wykluczeniu białek z jadłospisu.

Warzywa dozwolone i warzywa zabronione

Od tej chwili macie prawo zarówno do pokarmów proteinowych, jak i do surowych lub gotowanych warzyw, bez żadnych ograniczeń co do ich ilości, godzin spożywania czy łączenia z sobą. Dozwolone są pomidory, ogórki, rzodkiewki, szpinak, szparagi, pory, zielona fasolka szparagowa, kapusta, grzyby, seler, koper, wszystkie sałaty włącznie z cykorią, boćwina, bakłażany, cukinia, papryka, a nawet marchew i buraki, pod warunkiem że nie będziemy ich dodawać do każdego posiłku.

Zabronione są warzywa zawierające skrobię: kartofle, ryż, kukurydza, groch, zielony groszek lub groch łuskany, bób, soczewica, fasola flażoletka. Nie jest dozwolone awokado – owoc, na dodatek bardzo oleisty, przez niektórych chętnie skonsumowany jako zielone warzywo.

Karczochy i salsefie, rośliny pośrednie między warzywami zielonymi i skrobiowymi, również trzeba usunąć z jadłospisu, ponieważ nie możemy ich spożywać w dowolnych ilościach jak innych warzyw.

Jak przyrządzać warzywa?

Jako surówki

W przypadku osób, których jelita tolerują surowe warzywa, zaleca się zawsze jedzenie ich świeżych, ponieważ gotowanie pozbawia je znacznej części witamin.

PROBLEM PRZYPRAWIANIA POTRAW: Pod niewinnym hasłem przyprawiania pokarmów kryje się jeden z głównych problemów dietetyki odchudzającej. Jak wiadomo, dla wielu osób surówki i sałaty stanowią podstawę kuracji odchudzającej, ponieważ są mało kaloryczne i bogate we włókna i witaminy. Zapominamy jednak o towarzyszącym im sosie, który radykalnie burzy ten piękny obraz. Weźmy prosty przykład. W salaterce zawierającej dwie duże sałaty lub cykorię i dwie stołowe łyżki oliwy znajduje się 20 kalorii sałaty i aż 280 kalorii oliwy – zdradziecka inwazja wyjaśniająca klęskę wielu kuracji odchudzających na bazie sałatek, kiedy zapomina się odliczyć kalorie zawarte w sosach.

Należy również wyjaśnić wątpliwości dotyczące oliwy z oliwek. Mityczna oliwa – symbol cywilizacji śródziemnomorskiej, chroniąca przed chorobami układu sercowo-naczyniowego – jest równie obfita w kalorie jak inne dostępne na rynku oleje.

Dlatego należy pamiętać, by stosując kurację odchudzającą Protal, zdecydowanie unikać przyrządzania zielonych warzyw i surówek z sosami zawierającymi jakąkolwiek oliwę.

VINAIGRETTE Z PARAFINĄ: To najlepsze rozwiązanie zastępcze, pod warunkiem że jest się pozbawionym uprzedzeń i nie cierpi się na chroniczne rozwolnienia.

Olej parafinowy daje dwie zasadnicze korzyści: nie zawiera ani jednej kalorii i dzięki swej oliwnej konsystencji ułatwia przechodzenie treści jelitowej. Nie wierzcie pogłoskom, jakie można usłyszeć na temat tego oleju. Jego stosowanie, nawet długotrwałe, nie stwarza żadnego problemu. Jedyna niedogodność to dozowanie, bo parafina w zbyt dużej dawce działa jak środek przeczyszczający, co może grozić poplamieniem bielizny.

Aby uniknąć podobnych niedogodności i sprawić, by konsystencja oleju parafinowego, gęstszego niż oliwa, stała się nieco lżejsza, przygotowujcie vinaigrette z następujących składników:

1 miarka oleju parafinowego
1 miarka wody gazowanej
1 miarka musztardy
1 lub 2 miarki octu winnego, według upodobania

Najlepiej wybrać wodę naturalnie gazowaną, co ułatwia emulsję parafiny.

Starannie wybrać ocet dobrej jakości, na przykład ocet winny z Xeres, ocet balsamiczny, a szczególnie ocet malinowy, który doskonale nadaje się do tego typu sosu, ma bowiem jednocześnie smak świeżych owoców i jest kwaskowaty.

Należy pamiętać, że ocet winny jest przyprawą, która może odgrywać podstawową rolę w kuracji odchudzającej. Wiadomo, że człowiek rozpoznaje cztery uniwersalne smaki: słodki, słony, gorzki i kwaśny. Ocet jest jednym z produktów pozwalających na drogocenne i rzadkie odczucie kwaśnego smaku.

Niedawne badania udowodniły ponadto ogromny wpływ wrażeń smakowych, ilości i różnorodności smaków na wzbudzenie uczucia sytości.

Obecnie wiadomo na przykład, że niektóre przyprawy dostarczające bardzo mocnych smaków, jak goździki, imbir, anyżek, kardamon pozwalają na akumulację intensywnych wrażeń smakowych, dzięki czemu wzrasta wskaźnik podwzgórza (łac. hypothalamus), ośrodka mózgowego odpowiedzialnego za wywoływanie uczucia głodu i sytości. Jest więc bardzo ważne, aby używać jak najczęściej i w miarę możliwości na początku posiłku tych przypraw i starać się do nich przyzwyczaić, jeśli nie jest się ich amatorem.

SOS Z JOGURTU ALBO Z SERKA HOMOGENIZOWANEGO: Ci, którzy nie zdecydują się na korzystanie z parafiny, mogą przyrządzić pyszny i naturalny sos na bazie jogurtu.

Lepiej wybrać jogurt naturalny, bardziej aksamitny niż jogurt odtłuszczony, a zawierający niewiele więcej kalorii.

Do jogurtu dodać łyżkę stołową musztardy i ubić jak na puszysty majonez. Doprawić odrobiną octu, soli, pieprzu i ziół.

Jako gotowane dodatki do dań głównych

W takim charakterze możemy zaserwować zieloną fasolkę, szpinak, pory, wszelkiego rodzaju kapustę, grzyby, duszoną cykorię, korzeń kopru włoskiego, seler.

Warzywa te mogą być gotowane w wodzie, albo – jeszcze lepiej – na parze, dla zachowania maksymalnej ilości witamin.

Można również upiec je w piekarniku w sosie powstałym z pieczenia mięsa lub ryby. Takimi godnymi polecenia daniami są na przykład okoń z korzeniem kopru włoskiego, dorada w pomidorach albo gołąbki faszerowane wołowiną.

Pieczenie w folii pozwala zachować wszystkie walory potrawy, zarówno smakowe, jak i odżywcze. Sprawdza się to zwłaszcza w przygotowywaniu ryb, na przykład łososia, który upieczony na warstwie porów lub bakłażanów zachowa miękkość.

Wprowadzenie warzyw po okresie uderzenia proteinami wnosi trochę świeżości i różnorodności do początkowej fazy diety. Kuracja staje się przez to łatwiejsza i przyjemniejsza, odtąd najlepiej zaczynać posiłek od dobrze przyrządzonej kolorowej i smakowitej sałatki lub od zupy w zimowy wieczór, a następnie przejść do dania głównego z uduszonego na wolnym ogniu w pachnących i aromatycznych jarzynach mięsa lub ryby.

Dozwolona ilość warzyw

W zasadzie ilość warzyw jest nieograniczona. Zaleca się jednak nie przekraczać granic zdrowego rozsądku tylko po to, żeby zakpić z braku ograniczeń. Znam pacjentów, którzy zasiadają przed monstrualnym półmiskiem różnorodnych sałatek i chrupią je bez apetytu, zupełnie jakby żuli gumę. Uważajcie na tę pokusę, warzywa nie są całkowicie nieszkodliwe, jedzcie je aż do zupełnego zaspokojenia głodu, ale nie więcej. Nie zmienia to w niczym zasady całkowitego braku ograniczeń ilościowych, która jest sednem planu Protal; niezależnie od ilości spożywanego jedzenia spadek wagi się utrzyma, ale w zwolnionym tempie i będzie przez to nieco mniej motywujący.

Muszę was przygotować na częstą reakcję pojawiającą się w trakcie przejścia z diety uderzeniowej czysto proteinowej do diety wzbogaconej przez wprowadzenie warzyw.

Bardzo często w pierwszej fazie kuracji spadek wagi był naprawdę spektakularny i nagle, tuż po wprowadzeniu warzyw, waga zdaje się stać w miejscu, kilogramów nie ubywa, czasem możemy nawet lekko przybrać na wadze. Proszę się nie niepokoić, nie zeszliście z właściwej drogi. Co się dzieje?

Podczas fazy uderzeniowej odżywianie ograniczone wyłącznie do pokarmów proteinowych ma silne działanie „wodoszczelne", które nie tylko powoduje utratę zapasów tłuszczu, ale usuwa także olbrzymie ilości wody magazynowanej od dawna w organizmie. Tym właśnie można wytłumaczyć tak duży spadek masy ciała zarejestrowany przez wagę.

W chwili, kiedy do protein dodamy warzywa, w organizmie znów pojawia się ta sztucznie usunięta woda, stąd nagła i niezrozumiała stagnacja. Rzeczywisty spadek wagi związany ze spalaniem tkanki tłuszczowej utrzymuje się w dalszym ciągu, choć z powodu wprowadzenia do jadłospisu warzyw i zatrzymywanej w organizmie wody nie jest już tak dobrze widoczny. Trochę cierpliwości, natychmiast po powrocie do diety czysto proteinowej organizm na nowo pozbędzie się nadmiaru wody i wtedy przekonacie się, jaki jest rzeczywisty spadek wagi.

Pamiętajcie, że w okresie kuracji naprzemiennej, która będzie waszym chlebem powszednim aż do osiągnięcia ustalonej wagi, to faza protein bez warzyw napędza maszynę i odpowiada za ogólną skuteczność. Proszę się zatem nie dziwić, obserwując krzywą wagi przypominającą schody: gwałtowny spadek w okresie proteinowym i zastój z powrotem warzyw.

Rytm naprzemienny

Naprzemienna dieta proteinowa, korzystając z impetu, jaki nadała jej pierwsza faza uderzeniowa oparta na czystych proteinach, musi nas teraz doprowadzić do upragnionej wagi. To niezwykle ważna część planu Protal i zajmuje znaczną część czasu przeznaczonego na utratę wagi.

Rytmiczne dodawanie warzyw zmniejsza siłę oddziaływania białek i nadaje drugiej fazie synkopowanego tempa zarówno w organizacji posiłków, jak i uzyskiwaniu wyników. W miarę upływających tygodni utrata wagi będzie następować tylko w fazach kuracji opartej wyłącznie na proteinach, kiedy organizm nie potrafi oprzeć się skutkom tak surowej diety, ale z każdym pojawieniem się warzyw w jadłospisie ciało znów przejmie kontrolę nad sytuacją i będzie w stanie przeciwstawić się diecie. Poprzez okresy przestoju rozdzielone okresami przyspieszenia, przez serię podbojów z następującym po nich czasem odpoczynku, osiągniemy wyznaczony cel.

Jaki rytm nadać kuracji naprzemiennej?

✓ Najskuteczniejszy i najlepiej odpowiadający profilowi psychologicznemu osoby otyłej rytm to 5/5, pięć dni czystych protein z następującymi po nich pięcioma dniami protein w połączeniu z warzywami. Nie jest to najłatwiejszy sposób, ale otyły paradoksalnie lubi trudności, jeżeli wysiłek się opłaca. A fakty są takie, że rytm ten przynosi najlepsze wyniki.

✓ Innym rozwiązaniem jest rytm 1/1, jeden dzień oparty tylko na proteinach na zmianę z dniem, w którym dodajemy warzywa. To tempo najlepiej odpowiada osobom z lekką nadwagą, poniżej 10 kg, lub takim, którym brak silnej woli. Można je także wybrać po okresie stosowania rytmu 5/5, aby zrobić sobie przerwę i nabrać tchu.

✓ Jest jeszcze trzecie rozwiązanie odpowiednie dla osób o minimalnej nadwadze, tempo 2/7, czyli dwa dni w tygodniu czystych protein i pięć dni połączenia protein z warzywami.

✓ Innym wariantem 2/7 jest 2/0, to znaczy dwa dni w tygodniu czystych protein i pięć dni zwyczajnych, bez specjalnej diety, lecz również bez zbytnich ekscesów. Jest to kuracja i rytm, które najlepiej odpowiadają kobietom z cellulitem, często bardzo szczupłym w górnej części ciała, w biuście i na twarzy, ale obdarzonych wybujałymi biodrami i szerokimi udami. Kuracja ta pozwala, zwłaszcza w połączeniu z leczeniem miejscowym (mezoterapia) uzyskać doskonałe wyniki w miejscowej utracie kilogramów, oszczędzając w jak największym stopniu górną część ciała.

Jakiego spadku wagi można się spodziewać?

W przypadku bardzo dużej nadwagi, wynoszącej 20 kg lub więcej, trudno określić spadek wagi na każdy tydzień, doświadczenie mówi jednak, że traci się średnio około jednego kilograma tygodniowo.

W pierwszej połowie kuracji spadek wagi wynosi zazwyczaj trochę ponad 1 kg, blisko 1,5 kg na początku kuracji, co zwykle pozwala stracić pierwsze 10 kg w ciągu niecałych dwóch miesięcy.

Po upływie początkowych dwóch miesięcy krzywa nadwagi załamuje się stopniowo na skutek metabolicznego procesu obrony, który szczegółowo opiszę w rozdziale poświęconym kuracji utrwalającej, trzeciej fazie planu Protal. Krzywa zatrzymuje się chwilę na jednym kilogramie tygodniowo, potem przekracza psychologiczną barierę kilograma, z kilkoma okresami stagnacji w momentach zaniechania kuracji lub u kobiet w okresie napięcia przedmiesiączkowego.

Trzeba wiedzieć, że organizm bez specjalnego oporu akceptuje utratę pierwszych kilogramów. Zaczyna reagować dopiero wtedy, gdy rabunek jego zapasów staje się groźny.

Teoretycznie powinno się wtedy zintensyfikować kurację. Ale w praktyce często dzieje się odwrotnie. Zdarza się, że nawet obdarzeni najsilniejszym charakterem tracą zapał, długo zwalczane pokusy czy odrzucane zaproszenia stają się coraz bardziej natarczywe. Jednak prawdziwe niebezpieczeństwo tkwi gdzie indziej. Utrata pierwszych dziesięciu kilogramów przyczynia się do zdecydowanej poprawy ogólnego stanu organizmu, powraca dobra kondycja i zwinność, znika zadyszka, zewsząd sypią się komplementy i można wreszcie włożyć ubrania, w które jeszcze niedawno się nie mieściliśmy.

To wszystko plus klasyczna wymówka: „tylko ten jeden raz", robi swoje i początkowa piękna oraz szczera determinacja ustępuje miejsca zaniedbaniom. Później znów energicznie bierzemy się w karby, co stwarza chaotyczną, wciąż zmieniającą się sytuację, która szybko może stać się groźna.

W takich warunkach otyły, zwycięski do tej pory, może spocząć na laurach, zatrzymać się i ponieść porażkę. Należy pamiętać, że w połowie drogi, w odmętach znużenia i samozadowolenia, które są charakterystyczne dla każdej przedłużającej się kuracji odchudzającej, co druga osoba wpada w zasadzkę i załamuje się.

W tym przypadku mamy trzy możliwości:
✓ Porzucić kurację i z upodobaniem oddawać się zgubnym nawykom oraz kompulsywnym zachowaniom, mając przy tym głębokie poczucie klęski, co prowadzi do gwałtownego przybrania na wadze, często nawet przekroczenia wagi, którą mieliśmy, rozpoczynając kurację.

✓ Wziąć się w garść i nabierając na nowo odwagi, powrócić do początku kuracji i konsekwentnie doprowadzić ją do końca.

✓ Zrozumieć, że jeśli nie jesteśmy w stanie kontynuować kuracji, to możemy przynajmniej zachować owoce dotychczasowego wysiłku. Dlatego należy przerwać fazę utraty wagi i przejść bezpośrednio do fazy jej utrwalania, dużo bardziej zróżnicowanej i o łatwym do ustalenia czasie trwania (dziesięć dni na każdy utracony kilogram), a następnie do kuracji ostatecznej stabilizacji, która pozwala na pełną swobodę i spontaniczność w wyborze produktów żywnościowych, narzucając tylko – jako przypomnienie – jeden dzień diety proteinowej w tygodniu.

Ile czasu powinna trwać kuracja?

Naprzemienna dieta proteinowa jest bijącym sercem planu Protal. Do niej właśnie należy, po piorunujących efektach diety uderzeniowej, doprowadzenie nas równomiernym rytmem do upragnionej i ustalonej na początku wagi.

Jeśli zajmiemy się przypadkiem poważnej otyłości, z nadwagą sięgającą 20 kg, możemy się spodziewać, że jeśli nie nastąpią jakieś szczególne trudności, zrzucimy tę nadwagę w dwadzieścia tygodni, to znaczy w niecałe pięć miesięcy.

Jeśli przypadek okazuje się bardziej skomplikowany:

✓ z powodów psychologicznych – słaba wola, niewystarczająca motywacja;

✓ z powodów fizjologicznych – dziedziczna skłonność do otyłości;

✓ z powodów trudnej historii – usiana niepowodzeniami droga, liczne, źle dobrane, prowadzone lub porzucone kuracje odchudzające;

✓ u kobiet na niebezpiecznych rozstajach życia hormonalnego, w okresie dojrzewania płciowego wraz z pierwszymi nieregularnymi miesiączkami, w czasie ciąży, w okresie premenopauzy i menopauzy, a przede wszystkim w przypadku nieostrożnego wprowadzenia zastępczej kuracji hormonalnej;

spadek wagi następuje wolniej i wymaga szczególnego dopasowania. Ale nawet w tych trudnych przypadkach mocny start diety początkowej, jak również prędkość nadana kuracji w pierwszych dwóch czy trzech tygodniach łamie wszelki opór i ukryte zahamowania, co daje ogólnie spadek wagi 4–5 kg.

W tym momencie stare demony mogą powrócić i zwolnić tempo utraty wagi.

✓ Osoba z dużą skłonnością do nadwagi w ciągu niecałego miesiąca przekroczy barierę jednego kilograma na tydzień, by potem przez dwa czy trzy miesiące utrzymywać dopuszczalny rytm 3 kg na miesiąc, co dodane do początkowej utraty wagi zbliża się do 15 kg. Na tym etapie miesięczny ubytek wagi jeszcze się zmniejszy i będzie wynosił 1,5–2 kg na miesiąc. Pytanie jest proste: czy gra jest warta świeczki? Najczęściej odpowiedź brzmi: nie. Poza szczególnymi przypadkami, kiedy lekarz stanowczo zaleci utratę wagi z powodu niebezpiecznej cukrzycy lub poważnej i nienadającej się do operowania artrozy czy też z poważnych powodów osobistych, lepiej nie upierać się przy dalszych próbach. Aby nie zagrażać osiągniętym już wynikom, zadowolić się utraconymi kilogramami i utrwalając oraz stabilizując uzyskaną wagę, poczekać na lepsze dni oraz uspokojenie się organizmu, by dotrzeć do początkowo wyznaczonego celu. Bilans przedsięwzięcia: 15 kg mniej w ciągu czterech miesięcy naprzemiennej diety proteinowej.

✓ Osoba z małą motywacją lub o słabej woli jest w gorszej sytuacji. Ona również straci swoje pierwsze 4 czy 5 kg i natychmiast pojawią się pokusy i zaniedbania. W najlepszym wypadku, przy presji otoczenia i ciągłej pomocy, najlepiej lekarskiej, można spodziewać się zgubienia następnych 5 kg w ciągu pięciu tygodni i przejść jak najszybciej do utrwalania wagi, a jeszcze szybciej do ostatecznej stabilizacji, która musi za wszelką cenę narzucić jeden dzień diety opartej wyłącznie na proteinach w tygodniu, co trzeba zaakceptować od samego początku albo wcale nie rozpoczynać kuracji Protal.

✓ Osoba uodporniona na źle dobrane lub źle prowadzone kuracje znajdzie tu najlepszą receptę. Również u niej dieta uderzeniowa przechodzi niczym buldożer, kpiąc z jakiejkolwiek formy oporu. Ona również zgubi 5 pierwszych kilogramów w trzy tygodnie, a jeśli ściśle zastosuje się do zaleceń planu Protal oraz jego czterech połączonych i następujących po sobie diet, będzie mogła chudnąć bez przerwy aż do osiągnięcia 20 kg w ciągu sześciu miesięcy kuracji naprzemiennej, czyli uzyska efekty podobne do tych, jakie osiągną osoby, które nie mają żadnych trudności w stosowaniu tej kuracji, ponieważ uodpornienie na poprzednie kuracje dotyczy wyłącznie fazy proteinowej połączonej z warzywami, a nie okresu, w którym odżywiamy się tylko czystymi proteinami. Trzeba wiedzieć, że plan Protal może być ponownie podjęty w późniejszym czasie, nie ma zbyt dużego ryzyka zużycia, odporność na dietę zależy od wpływu protein.

✓ Kobieta pod wpływem hormonów lub o rozregulowanej gospodarce hormonalnej jest osobą najbardziej doświadczaną przez swoją fizjologię, a jednocześnie najbardziej zależy jej na rozpoczętym przedsięwzięciu, dlatego można być pewnym jej wytrwałości. U takiej kobiety opór organizmu na kurację jest tak duży, że nawet utrata pierwszych kilogramów, tak łatwa w przypadku innych, może okazać się trudna do osiągnięcia. Dlatego sprawą niezwykle ważną w tym przypadku jest uregulowanie problemu hormonalnego przed przystąpieniem do planu Protal. Należy to do ginekologa lub lekarza prowadzącego, trzeba jednak pamiętać, że przybranie na wadze spowodowane klimakterium nie jest żadnym fatum i można przetrwać ten rzeczywiście trudny okres przez pół roku lub rok, poddając się kuracji hormonalnej, która, dobrze prowadzona, jest najczęściej najlepszym sposobem skutecznego uzyskania pożądanej wagi. Bilans przedsięwzięcia: bez żadnej modyfikacji czy regulacji hormonalnej utrata 20 kg może trwać rok i być odbierana jako droga przez mękę, są jednak kobiety, które się tego podejmują. Z odpowiednią pomocą lekarską, przy użyciu naturalnych hormonów i niekiedy koniecznym użyciu antialdosteronu – hormonu o działaniu między innymi moczopędnym ułatwiającym eliminowanie opuchnięć, spadek wagi o 20 kg można osiągnąć w sześć do siedmiu miesięcy naprzemiennej kuracji proteinowej.

Memento kuracji
o równomiernym rytmie odchudzania

Zachować wszystkie dozwolone w kuracji uderzeniowej produkty i dodać, bez żadnych ograniczeń co do ilości, godziny spożywania czy sposobów łączenia, następujące surowe lub gotowane warzywa: pomidory, ogórki, rzodkiewki, szpinak, szparagi, pory, zieloną fasolkę, kapustę, grzyby, seler, fenkuły, wszelkie zielone sałaty łącznie z cykorią, boćwinę, bakłażany, cukinię, paprykę, a nawet marchew i buraki, pod warunkiem że nie będą dodawane do każdego posiłku. Podczas trwania tej fazy stosować naprzemiennie okres protein z warzywami i okres protein bez warzyw, aż do osiągnięcia ustalonej wagi.

Kuracja utrwalająca aktualną wagę
Nieodzowny etap przejściowy

Właśnie udało nam się uzyskać idealną wagę lub wagę ustaloną i zaakceptowaną na początku kuracji, ewentualnie wagę, na którą przystaliśmy z konieczności, uznając ją za połowiczne zwycięstwo, wiedząc, że kontynuowanie kuracji zbyt wiele by nas kosztowało i groziłoby zawaleniem się całej konstrukcji.

Czas surowych nakazów przeminął, jesteście na równinie. Wasz organizm i wy sami zdobyliście się na długotrwały wysiłek, nadszedł czas rekompensaty, ale grozi wam ogromne niebezpieczeństwo – triumfalizm. Doszliście do wagi, która wam odpowiada, ale ta waga jeszcze do was nie należy. Jesteście w sytuacji podróżnika, którego pociąg wjeżdża na stację i zatrzymuje się na krótko w nieznanym mieście, a on już uważa się za mieszkańca tego miasta, mimo że w nim nie mieszkał i nie zna go. Nic bardziej złudnego; pociąg może odjechać w każdej chwili, a nawet jeśli zdecydujecie się zostać, trzeba wynieść walizki, znaleźć mieszkanie, pracę i przyjaciół. To samo z wagą, do której doszliście: waga ta będzie rzeczywiście wasza, jeśli znajdziecie czas na oswojenie się z nią i poświęcicie minimum wysiłku, aby ją utrzymać.

Musicie pożegnać się z iluzją, że pozbyliście się problemów z nadwagą i możecie powrócić do dawnych przyzwyczajeń.

Byłoby to katastrofą, ponieważ te same przyczyny pociągają te same skutki i postępując tak jak wcześniej, szybko odzyskalibyście dawną tuszę. Nie ma jednak mowy o przestrzeganiu w nieskończoność tej drakońskiej diety. Któż mógłby to wytrzymać?

Jednak nadwaga, która doprowadziła was do podjęcia kuracji, szczególnie jeśli była olbrzymia lub – co gorsza – nałogowa, to na pewno nie był przypadek. Niezależnie od tego, czy ma podłoże genetyczne, czy została nabyta, jest odtąd – jak informacja w komputerze – zapisana na twardym dysku waszego organizmu i już tam zostanie. Musicie zatem znaleźć jak najmniej krępujący sposób, który włączycie w przyszłości do waszego stylu życia, pozwalający walczyć z tą niebezpieczną skłonnością i nie utyć na nowo.

Sposób ten istnieje, jest treścią czwartej części planu Protal, czyli kuracji pozwalającej na ostateczną stabilizację wagi.

Ale nie doszliśmy jeszcze do tego etapu, ponieważ wasz organizm jest nadal pod wpływem ograniczeń, którym był poddany w ciągu ubiegłych miesięcy. Ciągle macie skłonność do tycia, tylko teraz jest zwiększona przez obronne reakcje organizmu spowodowane naruszeniem jego zapasów.

Należy zatem zacząć od pogodzenia się ze swoim ciałem, które tylko czeka na okazję, by odzyskać utracone zasoby. Utrwalenie utraconej wagi – to właśnie cel etapu, który za chwilę przedstawię. Jego uwieńczeniem będzie szerokie otwarcie drzwi do tego, o czym marzy każdy pragnący schudnąć: ostatecznej stabilizacji osiągniętej za pomocą minimalistycznego środka, jakim jest jeden dzień diety w tygodniu. To będzie przedmiotem czwartej i ostatniej części planu Protal.

Abyście mogli poprawnie zastosować się do wymogów etapu stabilizacji, musicie zrozumieć, dlaczego jesteście obecnie nadwrażliwi, a wasze ciało zbyt rozdrażnione i podatne na działanie efektu jo-jo, i od razu przejść do etapu stabilizacji.

Po tym krótkim i nieodzownym wstępie szczegółowo wyjaśnię, jak w praktyce przejść przez etap utrwalania wagi, jakie nowe pokarmy włączyć do jadłospisu i jak długo ten etap powinien trwać.

Efekt jo-jo

Kiedy organizm pod presją skutecznej kuracji odchudzającej straci kilka kilogramów, pojawiają się reakcje, które chcą zmusić go do ich odzyskania.

Jak wyjaśnić te reakcje? By je zrozumieć, trzeba wiedzieć, co dla normalnego organizmu oznacza odkładanie zapasów tłuszczu. Kiedy przyjmowane pokarmy dostarczają organizmowi więcej energii, niż jest on w stanie wykorzystać, magazynowanie tłuszczu jest prostym sposobem na zaoszczędzenie pewnej liczby chwilowo niewykorzystanych kalorii, które mogą się przydać później, gdyby wyczerpały się źródła pożywienia.

To najprostszy sposób wynaleziony przez naturę na gromadzenie i przechowywanie energii w najbardziej skoncentrowanej postaci, jaką można znaleźć w królestwie zwierząt (9 kalorii/gram).

W naszych czasach, w świecie, gdzie żywność jest łatwa do zdobycia, można się zastanawiać na rolą tych mechanizmów.

Jednak pamiętajmy, że nasze biologiczne struktury nie powstały z myślą o życiu w takim świecie. Ukształtowały się w czasach, kiedy dostęp do żywności był okazjonalny, przypadkowy, a jej zdobycie kosztowało wiele wysiłku, często zawziętej walki.

Posiadanie tego tłuszczu, dziś uciążliwe, dla pierwszych ludzi było drogocennym środkiem ułatwiającym przeżycie.

Wyjaśnia to, dlaczego organizm, którego biologiczne zaprogramowanie nie uległo zmianie od początków ludzkości, przywiązuje nadal tak wielką wagę do dającego poczucie bezpieczeństwa tłuszczu i z rozpaczą patrzy na jego grabież.

Organizm, który chudnie, może być pozbawiony jakiejkolwiek możliwości obrony w sytuacji problemów związanych z brakiem żywności. Czuje się biologicznie zagrożony, dlatego reaguje, mając tylko jeden cel: jak najszybciej odzyskać utracone zapasy tłuszczu. Użyje trzech bardzo skutecznych sposobów.

✓ Pierwszy polega na wywołaniu i zaostrzeniu uczucia głodu odpowiedzialnego za popęd do jedzenia. Reakcja ta będzie tym silniejsza, im bardziej frustrująca była kuracja odchudzająca. Z punktu widzenia biologii i instynktu największe spustoszenie wywołują posiłki w proszku odpowiedzialne – w przypadku zbyt ostrych i długich diet – za eksplozje wilczego głodu i zachowania przymusowe.

✓ Drugi polega na ograniczeniu wydatków energetycznych. Kiedy obniża się komuś płacę, zaczyna mniej wydawać. Podobnie dzieje się na poziomie organizmów biologicznych.

Właśnie dlatego podczas kuracji odchudzających wielu pacjentów skarży się, że jest im ciągle zimno. To konsekwencja ograniczenia ilości energii wydatkowanej na ogrzanie ciała.

Podobnie jest ze zmęczeniem, uczuciem, które ma nas zniechęcić do podejmowania zbędnego wysiłku. Każda dodatkowa czynność staje się uciążliwa, każdy gest wykonany jest w zwolnionym tempie. Cierpią na tym również pamięć i procesy myślowe wymagające dużej ilości energii. Potrzeba odpoczynku i sen, które są źródłem oszczędności, stają się nie do odparcia. Wolniej rosną włosy i paznokcie. Krótko mówiąc, w czasie przedłużającej się kuracji odchudzającej organizm zapada w zimowy sen.

✓ Trzecia reakcja organizmu – najskuteczniejsza i najbardziej niebezpieczna zarówno dla tego, kto stara się schudnąć, jak i tego, kto pragnie ustabilizować wagę – polega na lepszym przyswajaniu kalorii żywnościowych i wyciąganiu z nich maksymalnego zysku.

Osoba w normalnych warunkach przyswajająca 100 kalorii z niewinnej maślanej bułeczki, pod koniec kuracji wyciągnie z niej nawet 120–130 kalorii. Każdy pokarm przejdzie przez sito i zostanie wykorzystany do ostatniej najmniejszej cząsteczki. Ten wzrost wydajności pompowania kalorii odbywa się w jelicie cienkim, punkcie styku środowiska zewnętrznego z krwią.

Zwiększenie apetytu, ograniczenie wydatków energetycznych i maksymalna ekstrakcja kalorii prowadzą do przekształcenia otyłego, który schudł, w prawdziwą gąbkę wchłaniającą kalorie.

To najczęstszy moment, gdy pacjent usatysfakcjonowany osiągniętym wynikiem uważa, że może wreszcie dać upust swoim starym przyzwyczajeniom. W ten sposób ponownie i błyskawicznie przybiera na wadze.

Tymczasem po prawidłowo prowadzonej kuracji i osiągnięciu upragnionej wagi należy zachować jak największą ostrożność, by uniknąć efektu jo-jo, bowiem waga ma tendencje do podskakiwania jak piłka odbijająca się od ziemi.

Jak długo trwa efekt jo-jo?

Nie znamy obecnie żadego naturalnego lub leczniczego środka pozwalającego uniknąć lub zmniejszyć efekt jo-jo. Najlepszą ochroną jest przede wszystkim poznanie czasu jego trwania, by móc przeciwstawić mu jasno zdefiniowaną, odpowiednią strategię żywienia.

Długo i cierpliwie obserwowałem tę eksplozję metabolizmu u wielu pacjentów i wywnioskowałem, że okres, w którym jesteśmy najbardziej narażeni na ponowne przybranie na wadze, trwa około dziesięciu dni na każdy utracony kilogram, a więc trzydzieści dni na 3 kg, dziewięćdziesiąt dni, czyli trymestr, na 9–10 kg.

Przywiązuję dużą wagę do tej reguły, ponieważ brak jasności i wystarczających informacji naraża osoby, które zakończyły kurację, na niepotrzebne ryzyko. Rozpoznanie niebezpieczeństwa i okresu zagrożenia może znacznie pomóc w przetrwaniu fazy przejściowej i zaakceptowaniu bez zbytniego bólu dodatkowego wysiłku niezbędnego do zneutralizowania efektu jo-jo.

Sam upływ czasu, bez większych zaniedbań, pozwoli odreagowującemu, zachowawczemu i zaalarmowanemu organizmowi wyciszyć się. Przy wyjściu z tunelu czeka na niego spokojna tafla morza i mój plan ostatecznej stabilizacji, czyli tylko jeden dzień diety w tygodniu.

Tymczasem musi się poddać nowej diecie, diecie otwartej, która nie jest kuracją odchudzającą, ponieważ nie ma tu już mowy o utracie masy ciała, ale nie jest pozbawiona pewnych ograniczeń. Ten okres wolności kontrolowanej to czas na opanowanie przesadnych reakcji organizmu i niedopuszczenie do ponownego przybrania na wadze.

Jak ustalić odpowiednią wagę do ustabilizowania?

Trudno rozpocząć fazę stabilizacji – zwłaszcza gdy myślimy tylko o tym, że zrobilibyśmy wszystko, by nigdy nie odzyskać z takim trudem utraconej wagi – jeśli nie mamy precyzyjnie określonego celu wagowego, nie zdefiniowaliśmy wagi, która by nas jednocześnie zadowalała i była możliwa do utrzymania. Mam obowiązek przedstawić wam moje zdanie, zbyt często bowiem asystowałem przy niepowodzeniach, których główną przyczyną był nierealny wybór wagi do ustabilizowania.

Istnieje wiele abstrakcyjnych metod określania idealnej wagi zależnie od wzrostu, wieku, płci i budowy kośćca.

Teoretycznie można zastosować wszystkie te metody, lecz nie ufam im, ponieważ zajmują się postaciami ze statystyk, w rzeczywistości nieistniejącymi. Nie biorą pod uwagę również tego, co stawia otyłego na marginesie, to znaczy jego skłonności do przybierania na wadze.

Byłbym więc raczej za zastąpieniem tej teoretycznie idealnej wagi przez bardziej odpowiednie pojęcie *waga do ustabilizowania*. A to nie jest to samo.

Najlepszym sposobem na ustalenie odpowiedniej wagi do ustabilizowania jest zapytanie samego otyłego o zdefiniowanie wagi, którą byłoby mu najłatwiej osiągnąć, i minimum, z którym czułby się „dobrze w swojej skórze". Powody są dwa.

Przede wszystkim każdy otyły zauważy, że istnieją pewne przedziały wagi, kiedy chudnie łatwo, inne, kiedy staje się to trudniejsze, i strefy ekstremalne, kiedy niezależnie od stosowanej diety waga uparcie stoi w miejscu. Wraz z tym doświadczeniem pojawia się pojęcie „pułapu", który trudno przekroczyć.

Próba ustabilizowania wagi na tym ostatnim poziomie jest szaleństwem, bowiem wysiłek konieczny, by ją osiągnąć, jest nieproporcjonalny do uzyskanego rezultatu. Przyjmując, że waga ta mimo wszystko zostałaby osiągnięta, jej utrzymanie wymagałoby zbyt dużego wysiłku, nie do zniesienia na dłuższą metę.

W przypadku chronicznej otyłości dużo ważniejsze jest dobre samopoczucie niż symboliczne znaczenie abstrakcyjnej cyfry uznanej za normę.

Człowiek z skłonnością do nadwagi nie jest osobą normalną. Nie ma w tym nic pejoratywnego, ale to oczywiste, że nie należy sugerować mu wagi niedostosowanej do jego natury. Potrzebuje możliwości prowadzenia normalnego życia, akceptując wagę, z którą czuje się swobodnie. I to jest już bardzo dużo, jeśli uda mu się ją utrzymać.

Otyły powinien zachować w pamięci maksymalną i minimalną wagę osiągnięte w czasie swoich największych wahań wagowych. Waga maksymalna, niezależnie od czasu jej utrzymania, jest na zawsze zapisana w organizmie. Weźmy konkretny przykład.

Wyobraźmy sobie kobietę o wzroście 1,60 m, która w jednym dniu swojego życia ważyła 100 kg. Kobieta ta nie może nawet marzyć, aby ustabilizować wagę na poziomie 52 kg, jak niektóre tabele teoretyczne mogłyby jej zasugerować. Pamięć biologiczna jej organizmu na zawsze zachowa wspomnienie wagi maksymalnej. Zaproponowanie jej, by osiągnęła i zachowała 70 kg, wydaje się dużo bardziej rozsądne pod warunkiem jednak, że czuje się przy tej wadze swobodnie.

Jest jeszcze jeden stereotyp wynikający z błędnego myślenia, którego musimy się pozbyć. Większość mniej i bardziej otyłych uważa, że łatwiej ustabilizują określoną wagę, jeśli zaczną od dojścia do wagi znacznie niższej.

Chcą na przykład osiągnąć 60 kilogramów, aby ustabilizować się na poziomie 70. Takie myślenie to więcej niż błąd, to grzech, ponieważ w chwili rozpoczęcia fazy stabilizacji boleśnie odczujemy brak siły woli, którą w ten sposób zmarnowaliśmy. Im bardziej staramy się obniżyć masę ciała, tym silniej nasz organizm zareaguje i tym większa będzie jego tendencja do przybierania na wadze.

Podsumowując, należy wybrać wagę „możliwą do ustabilizowania", wystarczająco wysoką, aby można było ją osiągnąć, nie zgubiwszy się po drodze, i wystarczająco niską, by wynagradzała poniesiony wysiłek. Ważne, byśmy czuli się z nią wystarczająco dobrze, by starać się ją utrzymać.

Kuracja przejściowa w codziennym stosowaniu

Właśnie dobiegł końca ostatni dzień naprzemiennej diety proteinowej i ważąc się, po raz pierwszy odczytujecie czarodziejskie wskazanie, wagę, której osiągnięcie założyliście na początku.

Podobnie jak wiele osób przed wami, niesieni siłą rozpędu zapragniecie schudnąć jeszcze trochę, aby mieć margines bezpieczeństwa. Nie róbcie tego, kości zostały rzucone, chcieliście osiągnąć określoną wagę, osiągnęliście ją, teraz trzeba zrobić wszystko, aby ją utrzymać, a nie jest to tylko formalność, bowiem *co drugie niepowodzenie pojawia się w ciągu trzech pierwszych miesięcy po dojściu do upragnionej wagi.*

Czas trwania kuracji

Czas trwania kuracji przejściowej oblicza się zależnie od utraconej wagi: dziesięć dni nowej kuracji na każdy utracony kilogram. Jeśli straciliście 20 kg, musicie ją stosować przez okres wynoszący 20 razy dziesięć dni, to znaczy dwieście dni, czyli sześć miesięcy i dwadzieścia dni; 10 kg oznacza sto dni. W ten sposób łatwo obliczyć dokładny czas do osiągnięcia ostatecznej stabilizacji.

Czy powinienem zalecić wam w tym momencie kurację ostatecznie stabilizującą? Nie, teraz już wiecie, że jesteście zbyt słabi i podobni do wynurzającego się z morskich głębin nurka, który musi zrobić po drodze przystanek bezpieczeństwa. Rolę tę spełni wskazana poniżej kuracja.

Podczas utrwalania wagi należy jak najściślej stosować się do kuracji, podczas której możliwe jest dowolne spożywanie wymienionych niżej pokarmów.

Proteiny i warzywa

Dotychczas dieta o równomiernym rytmie odchudzania obejmowała produkty wysokobiałkowe na zmianę z zestawem proteiny + warzywa, a zatem dobrze znacie te dwie kategorie produktów. Od tej pory ta wymiana jest nieaktualna, możecie jeść proteiny i warzywa jednocześnie i kiedy tylko chcecie.

Proteiny i warzywa stanowią solidną i niepodważalną podstawę zarówno pierwszego progu stabilizacji – ważnego dla nas w tej chwili – jak i ostatecznej stabilizacji, która po nim nastąpi. Dlatego te dwie podstawowe kategorie pokarmów, które w ciągu całego życia można będzie spożywać w ilościach nieograniczonych, o dowolnej porze dnia oraz w proporcjach i zestawach wedle uznania, są tak ważne.

Z pewnością znacie wszystkie produkty wchodzące w skład tych dwóch kategorii, przypomnę je jednak krótko, aby uniknąć jakichkolwiek nieporozumień. Bardziej szczegółowe informacje znajdziecie w rozdziałach poświęconych kuracji uderzeniowej i naprzemiennej kuracji proteinowej; w skrócie są to:

✓ chude mięsa, najmniej tłuste kawałki wołowe, cielęce, konina;

✓ ryby i owoce morza;

✓ drób bez skóry, z wyjątkiem kaczki;

✓ jaja;

✓ chudy nabiał;

✓ dwa litry wody;

✓ zielone warzywa i surówki.

Do tej podstawowej listy Protal dorzuca nowe produkty – umilą wam codzienność, możecie je wprowadzić w podanych niżej proporcjach i ilościach.

Jedna porcja owoców dziennie

Nadarza się okazja, aby porozmawiać o owocach chętnie uważanych za przykład zdrowego jedzenia.

Określenie „zdrowe" dotyczy produktów naturalnych, a więc niepryskanych. Owoce są najlepszym źródłem witaminy C i karotenu.

Ale te dwa atuty są wyolbrzymione przez dwie współczesne obsesje cywilizacji zachodniej: upodobanie do bezwarunkowego powrotu do produktów naturalnych i wiarę w magiczne właściwości witamin.

Otóż to, co naturalne, nie zawsze jest korzystne, a witaminy nie są aż tak niezbędne, jak twierdzi moda importowana z USA.

W rzeczywistości owoce są jedynym pokarmem naturalnym zawierającym to, co diabetolodzy nazywają cukrami o łatwej przyswajalności. Wszystkie inne pokarmy, które nam ich dostarczają, są produktami wymyślonymi i wyprodukowanymi przez człowieka.

Miód na przykład jest pokarmem wykradzionym. To wydzielina zwierzęca, rodzaj mleka dla larw pszczelich przywłaszczany przez nas wyłącznie dla przyjemności podniebienia.

Cukier rafinowany, biały cukier, nie istnieje w tej postaci w naturze. To sztuczny produkt ekstrahowany w sposób przemysłowy z trzciny cukrowej lub buraków.

Sam owoc w stanie dzikim jest pokarmem rzadkim, długo był po prostu gadżetem na stole, kolorową nagrodą dla człowieka.

Tylko dzięki intensywnej i selektywnej uprawie owoców mamy dziś wrażenie łatwego do nich dostępu. Dzięki postępom w dziedzinie transportu większość bardzo słodkich owoców, jak pomarańcze, banany, mango sprowadza się z dalekich i egzotycznych krajów, co prawdopodobnie wyjaśnia pojawianie się niekiedy bardzo poważnych, a nawet śmiertelnych alergii na niektóre owoce egzotyczne (kiwi czy orzeszki arachidowe).

W rzeczywistości owoc nie jest prototypem zdrowego i naturalnego pokarmu. Spożywany w dużych ilościach może okazać się niebezpieczny, szczególnie dla cukrzyków, a także otyłych przyzwyczajonych do podjadania owoców między posiłkami.

Dozwolone są wszystkie owoce z wyjątkiem bananów, winogron, czereśni i owoców suchych (orzechów włoskich, laskowych, nerkowca, orzeszków ziemnych, migdałów, pistacji).

Pojęcie „porcja" oznacza najczęściej jedną sztukę w przypadku owoców takiej wielkości jak jabłko, gruszka, pomarańcza, grejpfrut, brzoskwinia, nektarynka. W przypadku innych owoców stosujemy zwyczajowo przyjętą miarę, na przykład miseczka truskawek lub malin, plaster melona lub duży plaster arbuza, dwa kiwi lub dwie duże morele, jedno małe mango lub pół dużego.

Dozwolona jest jedna porcja dziennie wszystkich tych owoców, ale nie do każdego posiłku.

Jeśli lubicie owoce i stoicie przed wyborem, trzeba wiedzieć, że w kwestii stabilizacji wagi klasyfikacja owoców jest następująca: pierwszeństwo dla jabłka, ponieważ jest bardzo bogate w pektyny, co korzystnie wpływa na linię, truskawki i maliny łączą niewielką liczbę kalorii z kolorowym i odświętnym wyglądem, melon i arbuz zawierają dużo wody przy małej wartości energetycznej pod warunkiem pozostania przy jednej porcji, następnie grejpfrut, i na końcu kiwi, brzoskwinia, gruszka, nektarynka, mango.

Dwie kromki pełnoziarnistego chleba dziennie

Jeśli macie skłonność do nadwagi, unikajcie białego chleba. To produkt wysoko przetworzony, zagnieciony z mąki, której zboże zostało sztucznie pozbawione otoczki otrąb, co znacznie ułatwia otrzymanie mąki przemysłowej, ale powstały z niej biały chleb jest pokarmem sztucznie wzbogacanym i zbyt łatwo przyswajalnym.

Chleb z otrębami lub chleb pełnoziarnisty o równie przyjemnym smaku zawiera naturalną proporcję otrąb, które są doskonałym sprzymierzeńcem chroniącym nas przed rakiem jelit, nadmiarem cholesterolu, cukrzycą, zaparciami. Otręby pomagają również zachować linię, bowiem po dotarciu wraz z kaloriami do jelita cienkiego pochłaniają i zatrzymują niewielką ich część, wyprowadzając je w stolcu i nie pozwalając im nas tuczyć.

Na razie, w okresie przejściowym, jesteście jeszcze pod ścisłą kontrolą, ponieważ każdy drobiazg mógłby spowodować przybranie na wadze, ale wkrótce, w stadium ostatecznej stabilizacji, nie będziecie już musieli się obawiać chleba, będziecie mogli go jeść normalnie pod jedynym tylko warunkiem, że będzie to chleb pełnoziarnisty, a jeszcze lepiej wzbogacony w otręby.

A teraz, jeśli lubicie chleb na śniadanie, możecie cienko posmarować niskotłuszczowym masłem dwie kromki pełnoziarnistego pieczywa. Można wykorzystać tę opcję w każdym innym momencie dnia, na drugie śniadanie jako kanapkę z mięsem na zimno lub szynką albo wieczorem z serem – kolejnym produktem dorzuconym do listy.

Jedna porcja sera dziennie

O jaki ser chodzi i w jakiej ilości jest dozwolony?
Na razie macie prawo do wszystkich serów twardych typu gouda, reblochon, sery szwajcarskie czy holenderskie. Należy unikać serów powstałych z fermentacji, jak camembert, roquefort, ser kozi.

Polecam równowartość 40 gramów sera. Nie lubię ważenia pokarmów, jesteśmy jednak w okresie przejściowym, który nie będzie trwał długo, a poza tym 40 gramów to standardowa porcja odpowiadająca większości ludzi o umiarkowanym apetycie.

Możecie zjeść tę porcję do obiadu lub kolacji, ale w jednej dawce.

Co można powiedzieć o serach ze zmniejszoną zawartością tłuszczu? Większość z nich jest kiepskiej jakości i trudno doradzać produkty, które utraciły znaczną część smaku. Jedynie tomme de Savoie mimo swoich 20% tłuszczu jest prawdziwym, godnym polecenia serem. Do początku lat pięćdziesiątych ser ten produkowany był z półtłustego mleka według starej tradycyjnej góralskiej receptury, którą zmieniono zgodnie z panującymi wówczas gustami konsumentów i zwiększono zawartość tłuszczu do 40%. Gdy znów pojawiła się moda na produkty odtłuszczone, podyktowana większą świadomością szkodliwości tłuszczu, ser tomme de Savoie powrócił do dawnej postaci. Jego producenci szybko zaproponowali klientom wiele chudych serów, w tym słynny ser zawierający tylko 20% tłuszczu, a także 30% i 10%, przy czym ten ostatni to prawdziwy cud dla wszystkich odchudzających się. To prawdziwy, smaczny, miękki i rozpływający się w ustach ser. Pozwala uniknąć nadmiaru kalorii i nasyconych kwasów tłuszczowych, których zgubny wpływ na serce i naczynia krwionośnie jest wszystkim doskonale znany.

Niestety, jest trudno dostępny, gdyż nie ma na niego popytu. Wielu konsumentów myśli bowiem, że tak odtłuszczony ser nie jest pełnowartościowy.

Jeśli go znajdziecie, kupcie, spróbujcie i jeżeli wam posmakuje, możecie spożywać nawet do 60 gramów dziennie.

Gdy już przejdziecie do fazy ostatecznej stabilizacji, pomyślcie o tym serze, tak chudym, że bliskim produktom czysto proteinowym, mogącym służyć jako doskonały przysmak.

W przypadku prawdziwych, słynnych na cały świat francuskich serów pleśniowych, autentycznych dzieł sztuki gastronomicznej, proszę się nie niepokoić, nie są całkowicie wykluczone, trochę cierpliwości, w następnym rozdziale czeka niespodzianka o prawdziwie królewskiej uczcie.

Dwie porcje produktów zawierających skrobię tygodniowo

Początkowo do produktów skrobiowych zaliczano tylko ziemniaki, ale później pole znaczeniowe tego wyrażenia bardzo się poszerzyło i dziś jest to worek, w którym znajdujemy bulwy ziemniaka, produkty mączne w rodzaju chleba i makaronów oraz takie zboża, jak ryż i kukurydza.

Jednak w pierwszej fazie utrwalania wagi, kiedy podstawową regułą jest ostrożność, nie wszystkie produkty skrobiowe mają dla nas taką samą wartość, dlatego przedstawię je w kolejności od najbardziej do najmniej wartościowych.

MAKARONY są w tym momencie najlepiej dostosowanym do naszych potrzeb produktem skrobiowym, ponieważ robione są z twardego zboża, o bardzo odpornej strukturze włókien, dużo bardziej niż zboża miękkie lub pszenica. Ta fizyczna odporność na rozkład spowalnia trawienie tego zboża i wchłanianie cukrów. Poza tym makaron jest powszechnie lubiany i rzadko wiąże się go z pojęciem kuracji odchudzającej, co wynagradza i podtrzymuje na duchu po długim okresie ograniczeń. Makaron jest pokarmem solidnym i sycącym. Jedyny mankament to sposób, w jaki go przyrządzamy: z masłem, oliwą, śmietaną, a ponadto z serem, najczęściej gruyère, co podwaja jego wartość kaloryczną.

Jedzcie zatem makarony, porządną porcję 200 g, ale nie polewajcie ich tłuszczem, lepszy jest dobry sos pomidorowy z cebulą i pachnącymi ziołami. Jeśli nie macie czasu, możecie użyć przecieru lub pomidorów w zalewie z puszki. W przypadku serów, unikajcie gruyère'a, który jest zbyt tłusty, a jego delikatny smak sprawia, że używamy go w zbyt dużych ilościach. Możecie dodać trochę parmezanu, mniej kalorycznego, za to o ostrzejszym smaku. Włosi wiedzą, co robią.

KUSKUS, POLENTA, BULGUR LUB ZIARNA PSZENICY mogą być spożywane w porcjach do 200 g dwa razy w tygodniu. One również pochodzą z twardego zboża i z tego powodu mają te same właściwości co makarony. Produkty te są mniej znane i rozpowszechnione, wywodzą się bowiem z obcych kultur.

Kuskus jest często uważany za produkt skomplikowany w przygotowaniu i raczej restauracyjny. W ten sposób pozbawiamy się niepotrzebnie bardzo wartościowego pokarmu sprzyjającego ustabilizowaniu wagi.

Aby szybko przygotować kuskus, należy go wsypać do niemetalowego naczynia i zalać gorącą wodą z rozpuszczoną w niej kostką rosołową, tak aby woda wykraczała centymetr nad powierzchnię kaszki. Zostawcie kaszę na pięć minut, aby wchłonęła wodę i napęczniała. Potem można ją włożyć na dwie minuty do mikrofalówki, wyjąć, pomieszać widelcem, aby uniknąć grudek, wstawić na kolejne dwie minuty do mikrofalówki, i sprawa załatwiona.

Nie trzeba dodawać tłuszczu, kostka rosołowa wystarczy. Lepiej nie zamawiać kuskusu w restauracji, ponieważ kaszka jest tam zazwyczaj zatopiona w maśle.

Włoska lub korsykańska polenta, libański bulgur i ziarna pszenicy są dozwolone w podobnych proporcjach i postaciach.

SOCZEWICA jest wyśmienitym produktem skrobiowym, jednym z najwolniej przyswajalnych węglowodanów, jakie w ogóle istnieją. Niestety, jej przygotowanie zajmuje trochę czasu, nie jest też powszechnie lubiana i co gorsza jest często źle tolerowana, powodując wzdęcia. Lecz dla tych, którzy ją lubią i tolerują, to doskonały i sycący posiłek stabilizujący. Zależnie od etapu stabilizacji można spożywać porcje do 150 g. Również bez tłuszczu, raczej z dodatkiem pomidorów, cebuli i przypraw.

Innym roślinom strączkowym należą się podobne pochwały, dlatego można je spożywać w tych samych proporcjach, przygotowane bez tłuszczu. Fasola szparagowa i groch nie znajdują zbyt wielu amatorów, gdyż są jeszcze gorzej tolerowane niż soczewica, ale z punku widzenia ich wartości odżywczej są to naprawdę wyśmienite pokarmy.

RYŻ I ZIEMNIAKI są również dozwolone, zostały jednak umieszczone na końcu listy i należy spożywać je okazjonalnie, dając pierwszeństwo wszystkim wcześniej wymienionym produktom.

Można spożywać biały ryż, bez tłuszczu, najlepiej basmati – bardziej aromatyczny, a także ryż dziki lub pełnoziarnisty, wolniej przyswajany dzięki zawartości błonnika. Każda porcja może zawierać do 125 g gotowanego ryżu.

Ziemniaki najlepiej gotować w koszulkach lub piec w folii, bez dodatku tłuszczu. Frytki i chipsy są jednymi z tych nielicznych produktów, o których radzę zapomnieć, bowiem są nie tylko przesiąknięte olejem i kaloriami, ale również niebezpieczne, ponieważ zwiększają ryzyko raka i chorób układu sercowo-naczyniowego.

Nowe rodzaje mięs

Dotychczas dozwolone były chude części wołowiny i konina. Obecnie można dodać udziec jagnięcy, polędwicę wieprzową i szynkę gotowaną bez szczególnych zaleceń dotyczących ilości i częstotliwości ich spożywania – kiedy nadarzy się okazja, raz lub dwa razy w tygodniu.

UDZIEC jest najchudszą częścią jagnięcia. Unikajcie jednak pierwszego plastra z dwóch powodów. Po pierwsze tłuszcz obrastający udziec nie oddziela się łatwo i zawsze zostaje go trochę, co bardzo zwiększa zawartość kaloryczną pierwszej warstwy. Po drugie, aby wielki kilkukilogramowy udziec był dobrze upieczony w środku, musi być bardzo wysoka temperatura, a wówczas tłuszcz się zwęgla i staje się rakotwórczy. Jeśli lubicie mięso dobrze wypieczone, drugi plaster jest pewniejszy.

SCHAB również jest dozwolony, gdyż wraz z szynką jest najchudszą częścią wieprza, pod warunkiem że jest to schab tylny, a nie karkowy, dokładnie dwa razy bardziej kaloryczny. Nie należy o tym zapominać.

PONOWNIE POJAWIA SIĘ GOTOWANA SZYNKA. Nie jesteście już skazani wyłącznie na chudą wędlinę. Wolno wam spożywać ten przysmak, łatwy do zjedzenia na szybko niezależnie od godziny. Oczywiście nie zapominajcie o odkrojeniu tłuszczyku. Unikajcie również wędlin wędzonych – nie są jeszcze dozwolone.

To wszystkie kategorie produktów, na których opiera się wasza kuracja przejściowa.

Przypomnijmy, że nie jest to w żadnym razie kuracja ostateczna, a tym bardziej kuracja odchudzająca. To zdrowa i zrównoważona dieta, a jej jedynym celem jest pomoc w przejściu burzliwego okresu, gdy wasze ciało zaniepokojone utratą wagi stara się ją wszelkimi sposobami odzyskać.

Dziesięć dni na każdy utracony kilogram to mniej więcej tyle, ile mu potrzeba, by pogodzić się z tą stratą, uspokoić się i zaakceptować wagę, którą staracie się mu narzucić. Po upływie tego okresu będzie czas na spontaniczność w sposobie odżywiania się, ale tylko przez sześć dni w tygodniu. Ta perspektywa powinna dodać wam otuchy i uzbroić w cierpliwość. W każdym razie znacie cel i konieczny do jego osiągnięcia czas.

Ale to nie wszystko. By zakończyć kurację przejściową, muszę wam przekazać jeszcze dwie ważne informacje: jedną dobrą, a drugą konieczną. Zacznę od dobrej.

Dwie królewskie uczty w tygodniu

Dwa razy w tygodniu macie możliwość przygotowania wybornego posiłku, takiego, jaki wam się tylko zamarzy i bez żadnych ograniczeń.

Podkreślam jednak słowo „posiłek", ponieważ bardzo często, mimo że zapisuję to własnoręcznie na recepcie, zawsze znajdą się pacjenci, którzy zrozumieją, że taka uczta może trwać cały dzień.

Uczta może dotyczyć któregokolwiek z trzech posiłków, radzę jednak wybrać kolację, by mieć czas na delektowanie się przyjemnością, uniknąć stresu i pośpiechu związanego z pracą i nie pozwolić uszczknąć sobie nawet okruszka.

„Królewski" oznacza „odświętny", macie bowiem możliwość jeść wszystko, co chcecie, a szczególnie to, czego wam najbardziej brakowało podczas długiego okresu odchudzania się.

Nie należy jednak zapominać o dwóch istotnych warunkach: nigdy nie dokładać sobie tego samego dania i nigdy nie urządzać dwóch królewskich posiłków pod rząd. A zatem wszystko, ale po jednym: jedna przystawka na wejście, jedno danie główne, jeden ser lub deser, jeden aperitif, jeden kieliszek wina, wszystko w dużej ilości, ale tylko raz.

Starajcie się rozłożyć te posiłki w czasie. Pozwólcie ciału odpocząć. Na przykład jeśli pierwsza uczta odbyła się we wtorek w południe, lepiej unikać powtórki we wtorek wieczorem. Te dwie przyjemne chwile należy rozdzielić co najmniej jednym normalnym posiłkiem. Najlepiej wybrać weekend lub wieczory proszone.

Jeśli marzycie o bigosie, schabowym, paelli, prawdziwym kuskusie lub jakimkolwiek innym daniu, właśnie nadeszła na nie pora.

Wszyscy od tak dawna czekający na prawdziwy deser, na kawałek tortu czekoladowego lub lody, wreszcie mogą sobie na to pozwolić.

Dla amatorów dobrego wina, szampana czy aperitifu droga stoi otworem.

Można teraz bez żadnych obaw, ale nie więcej niż dwa razy w tygodniu przyjmować od dawna odkładane zaproszenia.

Znajdzie się wielu, którzy doszedłszy do tego etapu stabilizacji, przyzwyczaili się do nowego sposobu odżywiania i przestraszą się ponownego spotkania ze smakami i aromatami, zaczną się wzdragać przed aż tak urozmaiconymi posiłkami.

Nie ma obaw, posiłki te zostały dobrze przemyślane. Stanowią część całości, gdzie liczba napotykanych problemów i tak utrzymuje równowagę.

Poza tym te królewskie uczty nie są zwykłą propozycją, są zaleceniem, do którego należy się ściśle stosować. Protal jest planem globalnym, nie można oddzielić jakiejś części, nie ryzykując zmniejszenia jego skuteczności. Być może nie rozumiecie sensu tej szczodrości i znaczenia odświętnych posiłków. Nadszedł zatem moment, aby pomówić o niematerialnym aspekcie pożywienia, jakim jest przyjemność.

Jedzenie to nie tylko przyjmowanie kalorii koniecznych do przeżycia, to również i nade wszystko przyjemność. A ponieważ ta biologiczna przyjemność, ważna nagroda, była zabroniona podczas odchudzania się, nadszedł czas, by odkryć ją na nowo.

Ponieważ mówimy o przyjemnościach smakowych, pozwolę sobie dać istotną i nieodzowną dla ostatecznej stabilizacji radę. Nie traktujcie jej lekkomyślnie.

Kiedy jecie, a szczególnie, kiedy to, co jecie, jest wyśmienite i obfite, MYŚLCIE O TYM, CO JECIE, skoncentrujcie się na tym, co macie w ustach i na każdym najdrobniejszym wrażeniu, dostarczanym wam przez pokarm.

Wiele badań prowadzonych przez dietetyków wykazuje, że doznania smakowe odgrywają zasadniczą rolę w wywołaniu uczucia sytości. Wszelkie wrażenia smakowe ze śluzówki języka, każdy odruch żucia i przełykania, są odbierane i analizowane przez podwzgórze, centrum głodu i sytości. Nagromadzenie tych wrażeń podnosi wskaźnik sensoryczny wywołujący uczucie sytości.

NALEŻY JEŚĆ POWOLI, KONCENTRUJĄC CAŁĄ SWOJĄ UWAGĘ NA TYM, CO SIĘ MA W USTACH. Należy unikać spożywania kalorycznych pokarmów podczas oglądania telewizji lub czytania, ponieważ w ten sposób zmniejsza się o połowę intensywność wrażeń dochodzących do mózgu: w tym właśnie dietetycy upatrują powód epidemii otyłości w Stanach Zjednoczonych wśród dzieci podjadających cały dzień przed telewizorem, a jako dorośli jedzących o każdej porze dnia. Nic dziwnego, że guma do żucia jest wynalazkiem amerykańskim.

Korzystajcie zatem bez żadnych oporów z tych dwóch przyjemnych momentów i wierzcie mi, nic was to nie będzie kosztować. Pod dwoma warunkami.

PIERWSZY WARUNEK JEST ZASADNICZY. Ta na nowo odzyskana chwila swobody jedzenia ma granice ściśle ograniczone w czasie; na razie jest to tylko odświętny posiłek. Niezrozumienie tych ograniczeń może doprowadzić do zboczenia z wytyczonej drogi. Nie należy minimalizować tego niebezpieczeństwa. Jeśli na przykład wybraliście wtorek wieczór na królewski posiłek, to środa rano zdecyduje o przyszłości waszej stabilizacji.

Czy otworzywszy drzwi na oścież, będziecie mieć wystarczająco dużo odwagi, by zamknąć je z powrotem, czy raczej następnego dnia po przebudzeniu, idąc za ciosem, nie będziecie w stanie się powstrzymać przed posmarowaniem chleba grubą warstwą masła?

Te dwa odświętne posiłki są jak promień słońca w szarzyźnie waszego odżywiania i mają pomóc wam przetrwać, aż ciało przyzwyczai się do nowej wagi. Stanowią integralną część ułożonej przeze mnie kuracji przejściowej. Dałem wam wszystko, co było w mojej mocy. Przekraczając te granice, ryzykujecie zniszczenie cierpliwie wzniesionej budowli.

DRUGI WARUNEK JEST OCZYWISTY. Zadaniem tego wyjątkowego posiłku jest dostarczenie wam przyjemności, ale na pewno nie jest to okazja do odwetu. Opychanie się bez opamiętania przy tej okazji świadczyłoby o niezrozumieniu mnie i może być niebezpieczne dla organów przemiany materii.

Celem tych posiłków jest przywrócenie wam pewnej równowagi. Obżarstwo prowadzące do mdłości lub picie do upadłego spowodowałoby poważne jej zachwianie. I jeśli następnego dnia nie powrócicie według planu do etapu utrwalania wagi, to wasza chwiejna postawa niszczy nadzieję na późniejszą stabilizację. Moja rada: jedzcie to, co chcecie, nakładajcie sobie obficie, ale nigdy nie dokładajcie sobie tego samego dania. Zarówno w domu, jak i na proszonym obiedzie u przyjaciół czy w restauracji, gdzie zresztą nie ma zwyczaju prosić o dokładkę.

Raz w tygodniu wyłącznie proteiny

Poznaliście zatem wszystkie elementy składające się na kurację utrwalenia wagi. Wiecie, jak się odżywiać w tym okresie, łatwym do obliczenia i niezbędnym waszemu ciału, by zaakceptowało nową narzuconą mu wagę.

Jednak brakuje nam jeszcze kluczowego elementu, niezbędnego w fazie stabilizacji. Taki sposób odżywiania w zestawieniu z dwoma królewskimi ucztami w tygodniu nie zagwarantuje dokładnego opanowania wagi w tak reaktywnym okresie. Dlatego wprowadziłem do kuracji utrwalającej jako jej zabezpieczenie jeden dzień w tygodniu oparty wyłącznie na czystych proteinach, których niezwykłą skuteczność już wypróbowaliście.

Tego dnia wolno wam będzie jeść – jak wiadomo – chude mięso, ryby i owoce morza, drób bez skóry, jaja, chudą wędlinę, nabiał i pić dwa litry wody. Możecie jeść tyle, ile chcecie, tak często, jak wam się podoba oraz w odpowiadających wam proporcjach i zestawach, ale tylko te produkty, które znajdują się na liście ośmiu kategorii pokarmów wysokobiałkowych.

Dzień proteinowy jest jednocześnie silnikiem i ochroną kuracji utrwalającej. To jedyny czas ograniczeń w tygodniu, cena za możliwość kontrolowania sytuacji, aż uspokoi się burza. Nie podlega negocjacjom. Trzeba się dostosować do wszystkich wymogów tego dnia albo w ogóle nie zaczynać diety, bo będzie to tylko strata czasu.

Ponadto, o ile to możliwe, wybierzcie czwartek jako dzień proteinowy. Taki tygodniowy rytm jest podstawą sukcesu. Jeśli ze względów zawodowych lub społecznych czwartek jest nie do pogodzenia z takim sposobem odżywiania, pozostaje środa lub piątek, i tego jednego dnia należy się bezwzględnie trzymać.

Jeśli wyjątkowo przeprowadzenie diety okaże się niemożliwe w czwartek, wybierzcie środę lub piątek, ale w następnym tygodniu powróćcie do czwartku. Nie należy się przyzwyczajać do zamiany. I pamiętajcie o swoich skłonnościach do tycia. Musicie poddać się wymogom proteinowego dnia nie po to, by sprawić mi przyjemność, lecz by okiełznać waszą naturę i niezwykłą łatwość przybierania na wadze. Skuteczność tego środka działania dotyczy tylko was. Proszę o tym nie zapominać.

Podobnie na wakacjach czy w podróży. Jeśli tam, gdzie jesteście, proteiny są niedostępne lub trudno je przygotować, zawsze można użyć protein w proszku. Omówię je później. To prosty sposób, by ten dzień był w pełni skuteczny.

Faza, której nie wolno zaniedbywać

Na tym kończy się opis kuracji pozwalającej na utrwalenie wagi. Na zakończenie analizy pozostawiłem cztery ostrzeżenia przed niebezpieczeństwem zaniedbania tej zasadniczej fazy planu Protal.

Niezbędny etap

W czasie trzeciej fazy planu Protal nie ma co liczyć na niezwykłą stymulację i zachętę, jaką była waga wskazująca regularnie spadek ciężaru ciała, toteż ze zniechęceniem zaczniecie się zastanawiać nad sensem tej przejściowej kuracji, podczas której nie jesteście jeszcze całkiem wolni, a już nie całkiem na diecie; pojawi się z pewnością chęć rozluźnienia nadzoru i przekroczenia nakazów.

Nie róbcie tego! Jeśli zaniedbacie ten etap utrwalania wagi, możecie być pewni jednego: wszystkie kilogramy, których z takim trudem się pozbyliście, powrócą nieuchronnie, i to szybko. Będziecie mieli szczęście, jeśli nie przybędzie ich więcej.

Odporność na chudnięcie

Poza uczuciem frustracji i przegranej spowodowanej ponownym przybraniem na wadze jest jeszcze jedno niebezpieczeństwo, bardziej brzemienne w skutkach. Czyha na każdego, kto poddaje się wielu kuracjom odchudzającym i nie utrwala zdobytej wagi: odporność na chudnięcie.

Każdy, kto kilkakrotnie chudnie i na nowo tyje, uodparnia się na chudnięcie, co znaczy, że po każdym niepowodzeniu będzie mu coraz trudniej stracić na wadze. Jego organizm zachowa w pamięci wszystkie przeprowadzone diety odchudzające i coraz skuteczniej będzie się opierał nowym próbom. Każde niepowodzenie otwiera drzwi następnej przegranej. Osoby mające za sobą wiele kuracji odchudzających nie mogą się spodziewać równie szybkiej utraty kilogramów jak te, które starają się zrobić to po raz pierwszy, mimo że Protal i jego proteiny stosowane wyłącznie lub wymiennie to kuracja wywołująca najmniejszy opór i najskuteczniej przeciwstawiająca się nabytej odporności na działanie wcześniejszych kuracji.

Pamięć rekordów

Za każdym razem, gdy ciało przybierze na wadze i waga wskaże nowy rekord, mechanizmy regulujące naszą fizjologię zapisują gdzieś w nas nostalgiczne wspomnienie tej maksymalnej wagi, której organizm będzie niestrudzenie poszukiwał.

Chudnąć, oznacza żywić się tłuszczem i cholesterolem

To najprawdopodobniej najpoważniejsza konsekwencja odchudzania. Po każdej utracie wagi organizm przeżywa atak, którego rzadko kto ma świadomość, i w tym problem. Przy każdej próbie schudnięcia konsumujecie własne zapasy tłuszczu. Gdy tracicie 10 czy 20 kg, jest trochę tak, jakbyście zjedli 10 lub 20 kg masła lub smalcu.

Gdy chudniecie, w waszej krwi i tętnicach krąży duża ilość cholesterolu i trójglicerydów. Przy każdym skurczu serca ta wypełniona toksycznymi tłuszczami krew zalewa tętnice i zanieczyszcza ich ścianki.

Schudnięcie ma zawsze zbawienny wpływ na dobre samopoczucie psychiczne i fizyczne, a ryzyko, jakie przedstawia cyrkulacja tych tłuszczów, rekompensują korzyści płynące z utraty masy ciała. Nie powinno się jednak powtarzać tej operacji więcej niż raz czy dwa razy w życiu. Ten, kto bezskutecznie stara się schudnąć raz lub dwa razy w roku, znajduje się za każdym razem w sytuacji osoby o zbyt wysokim poziomie cholesterolu we krwi.

Nie jest to z mojej strony próba przestraszenia was, lecz ostrzeżenie przed rzeczywistym i mało znanym zarówno wśród pacjentów, jak i wielu lekarzy niebezpieczeństwem.

Biorąc to wszystko pod uwagę, wy, którzy mieliście szczęście schudnąć, skłońcie się ku jedynej logicznej postawie, utrwalcie tę drogocenną wagę i przystąpcie zgodnie z przewidzianym terminem do ostatecznej stabilizacji.

Memento kuracji
pozwalającej na utrwalenie wagi

Czas trwania kuracji przejściowej oblicza się zależnie od wielkości utraconej wagi: dziesięć dni nowej diety na każdy utracony kilogram.

Jeśli straciliście 20 kg, trzeba ją stosować przez okres wynoszący 20 razy dziesięć dni, co stanowi dwieście dni, czyli sześć miesięcy i dwadzieścia dni, a 10 kg oznacza sto dni. W ten sposób każdy łatwo obliczy dokładny czas dzielący go od ostatecznej stabilizacji.

Podczas fazy utrwalania wagi należy jak najściślej stosować się do diety pozwalającej na spożywanie następujących pokarmów:

✓ pokarmy proteinowe kuracji uderzeniowej;
✓ warzywa kuracji równomiernej;
✓ jedna porcja owoców dziennie, oprócz bananów, winogron i czereśni;
✓ 2 kromki pełnoziarnistego chleba dziennie;
✓ 40 gramów sera;
✓ 2 porcje produktów skrobiowych tygodniowo;
✓ udziec jagnięcy lub pieczeń z polędwicy wieprzowej.

Jako ukoronowanie kuracji mamy jeszcze:
✓ dwa odświętne posiłki w tygodniu.
Oraz obowiązkowo i bezwarunkowo:
✓ jeden dzień ścisłej diety proteinowej (kuracja uderzeniowa) w tygodniu
   – niewymienny i bezdyskusyjny.

Ostateczna stabilizacja w praktyce

Przeznaczona jest dla rozpoczynających Protal z dużą nadwagą: kuracja uderzeniowa umożliwiła im piorunujący i pomyślny start, a kuracja równomiernego rytmu odchudzania osiągnięcie ustalonej wagi. Właśnie zakończyli przejściowy etap utrwalania wagi, którego długość obliczono według zasady: dziesięć dni na każdy utracony kilogram.

Nie tylko pozbyliście się nadwagi, lecz również zakończyliście bez szwanku okres, gdy odchudzone ciało stara się gwałtownie odzyskać utracone kilogramy.

Wasz organizm nie reaguje już z gwałtownością każącą mu maksymalnie wykorzystywać kalorie zawarte w przyjmowanych pokarmach. Odnajdujecie wreszcie własną naturę, ale nadal jest to natura otyłego z przyrodzoną skłonnością do tycia i metabolizmem, który już nieraz udowodnił, że jest zdolny doprowadzić was do sporego przybrania na wadze.

Ponieważ te same przyczyny pociągają za sobą te same skutki, od tej chwili macie wszelkie szanse ponownie przybrać na wadze, jeśli nie będziecie przestrzegać kilku chroniących przed tym zasad.

Nie mówimy tu już – i w tym tkwi całe niebezpieczeństwo – o okresie ścisłego podporządkowania określonym poleceniom i nakazom, lecz o zwykłym trybie życia dopominającym się o swoje prawa. Dlatego zasada przyjęta w planie ostatecznej stabilizacji musi być zachowana na resztę życia i w takiej perspektywie nie do pomyślenia byłoby narzucenie wam nakazów zbyt trudnych do przestrzegania.

Dotychczas byliście kierowani i opiekowano się wami poprzez precyzyjny system nakazów i poleceń. Byliście w kleszczach czegoś w rodzaju zakładu czy wyzwania zostawiającego mało miejsca na improwizację. Teraz kończy się przybrzeżne lawirowanie, a zaczyna samodzielny rejs na szerokich wodach, z nieustannie wiszącą nad wami groźbą burzy i zatonięcia statku. Dlatego potrzebujecie kilku nowych, zredukowanych do minimum nakazów.

Pokonanie ciążącej nad otyłym klątwy przybrania na wadze, odzyskanie pełnej spontaniczności w jedzeniu i zapomnienie o ograniczeniach przy stole, przeciwko którym każdy otyły tak się buntuje, jest możliwe za cenę przestrzegania dwóch prostych i mało frustrujących nakazów.

Ta nowa zasada nakłada na was obowiązek ścisłego i regularnego przestrzegania diety czysto proteinowej przez jeden dzień w tygodniu do końca życia. Do tej podstawowej zasady dochodzi jeszcze jedna, o wiele prostsza i mniej surowa, zalecająca codzienne spożywanie trzech łyżek otrąb owsianych.

Ścisłe przestrzeganie tylko tych dwóch zasad ustrzeże was przed ponownym utyciem. Obydwie zadziałają u źródeł problemu, tam gdzie składniki odżywcze i kalorie są przyswajane i wchłaniane przez organizm. Proteiny i otręby owsiane stawiają skuteczny opór grabieży kęsa pokarmowego przez jelito cienkie.

Te dwa środki zaradcze stanowią moim zdaniem najmniej bolesne rozwiązanie, by otyły mógł w zamian normalnie się odżywiać przez sześć dni w tygodniu. Doświadczenie zawodowe mówi mi, że każdy rozsądny człowiek otyły zgodzi się na taki układ.

Ale to jeszcze nie wszystko. Faza ostatecznej stabilizacji dysponuje jeszcze jedną bronią dodatkową, wprawdzie mało widoczną, ale bardzo ważną – jest to dydaktyczna wartość drogi, którą musimy przebyć, aby zrzucić i utrwalić wagę.

Ponieważ stworzyłem ten plan i zalecam go moim pacjentom, doskonale wiem z codziennych obserwacji, że osoba z nadwagą, która dzięki Protalowi straciła 5, 10, 15, 20, a nawet 30 kilogramów, przechodząc przez kolejne cztery kuracje, zdobyła praktyczną i instynktowną świadomość wartości pokarmów pomagających jej w schudnięciu i stabilizacji wagi, a także nabrała odpowiednich odruchów i nie pozbędzie się ich już nigdy.

Zaczynając od kuracji opartej wyłącznie na proteinach, pacjent dzięki wykluczeniu z jadłospisu wszystkich pozostałych składników odżywczych odkrywa ogromną siłę białek. Teraz już wie, że jadłospis oparty wyłącznie na produktach wysokobiałkowych to broń odchudzająca o niezwykłej skuteczności.

Stosując naprzemienną dietę proteinową, zrozumiał, że dodanie zielonych warzyw zwolniło tempo, ale te niezbędne pokarmy roślinne nie przeszkadzały mu chudnąć, jeśli przygotowywano je bez użycia tłuszczu – wroga numer jeden, z łatwością zdemaskowanego przy okazji godnych pożałowania uchybień.

Przechodząc do utrwalania wagi, kolejno wprowadzał tak potrzebne pokarmy, jak chleb, owoce, ser, niektóre produkty skrobiowe, a w odświętnych posiłkach odnajdywał przyjemność jedzenia bez ograniczeń i bez poczucia winy. W miarę praktyki w jego umyśle i ciele powstawała dzień za dniem hierarchia wartości i klasyfikacja pokarmów.

Ta etapowa struktura stopniowo przechodząca od produktów niezbędnych do luksusowych, ale zbytecznych, oraz nabyta dzięki temu wiedza o zasadach odżywiania sprawiają, że Protal jest najbardziej dydaktyczną kuracją z możliwych i w połączeniu z dwoma dodatkowymi zaleceniami fazy końcowej stabilizacji otwiera drzwi do prawdziwej stabilizacji, a nawet uzdrowienia.

Proteinowy czwartek

Dlaczego czwartek?

W tym okresie mego życia, gdy pracowałem nad różnymi częściami przyszłego planu Protal, odczuwałem potrzebę włączenia do etapu stabilizacji utraconej wagi czegoś, co przypominałoby dotychczasowe nakazy pod postacią jednego dnia diety opartej wyłącznie na proteinach i działałoby jak korektor błędów popełnionych w ciągu całego tygodnia. Miałem wtedy zwyczaj dopisywać na wystawianych przeze mnie receptach: „Raz na tydzień zachować dietę wyłącznie proteinową".

Przez pewien czas trzymano się tego zalecenia, by stopniowo je zarzucać. Pacjenci wyjaśniali mi, że zalecenie to – w zasadzie proste i łatwe do wykonania – było bez przerwy przesuwane, przekładane na później i w końcu znikało w ferworze spotkań i codziennych zajęć.

Pewnego dnia zdecydowałem więc, że sam arbitralnie ustalę, który to ma być dzień, i narzuciłem moim pacjentom czwartek. Od tej pory jak za dotknięciem różdżki czarodziejskiej wszystko się zmieniło. Pacjenci zaakceptowali czwartek po prostu dlatego, że to nie oni go ustalili, bo nie ma nic trudniejszego niż samemu wybrać moment ciężkiej próby.

Kiedyś pacjentka zapytała mnie, dlaczego to musi być czwartek. Odpowiedziałem jej, że czwartek jest „dniem J"[*]. To oczywiście żart, ale doskonale oddaje narzucony i bezdyskusyjny charakter dnia, który jak tama zatrzymuje wszystkie błędy i grzechy całego tygodnia. Zbyt ważna jest jego zasadnicza funkcja, by o wyborze dnia decydował ktoś, kto ma się podporządkować jego wymogom.

---

[*] „J" jak „jeudi", po francusku „czwartek"; często też mówi się o dniu „J" jako o dniu zapoczątkowującym jakieś bardzo ważne przedsięwzięcie (przyp. tłum.).

Szczególny charakter proteinowego czwartku.
Czym różni się ten dzień od innych proteinowych dni?

Opisując fazę uderzeniową planu Protal, szczegółowo wymieniłem produkty składowe kuracji, której poddaliście się w jej czystej formie, co uruchomiło maszynerię, następnie stosowaliście je wymiennie z warzywami w trakcie kuracji o równomiernym rytmie, a później włączyliście proteinowy czwartek do fazy utrwalania wagi. Dotychczas kierowały wami i chroniły was bardzo konkretne polecenia zostawiające niewiele miejsca na inicjatywę i uchybienia.

Od tej chwili zaczynacie pracować bez siatki ochronnej.

Wolno wam teraz odżywiać się normalnie przez sześć dni w tygodniu, a proteinowy czwartek to jedyny hamulec zdolny powstrzymać waszą tendencję do tycia.

Dlatego proteinowy dzień musi być stosowany z niezwykłą precyzją, ponieważ jakiekolwiek wykroczenie czy pomyłka naruszające jego skuteczność zagroziłyby trwałości całej budowli.

Nie wszystkie produkty składające się na dietę czwartkową zbudowane są wyłącznie z czystych protein i różnią się między sobą stopniem zawartości innych składników. W tym tak ważnym dniu ostatecznej stabilizacji trzeba wybierać produkty najbliższe ideałowi, bowiem przyniosą lepsze rezultaty, natomiast ograniczyć lub unikać tych z zawartością węglowodanów lub tłuszczów, by ich zbyt duże spożycie nie zagroziło efektywności tego dnia.

Proteinowy czwartek w praktyce.
Wybór produktów

CHUDE MIĘSA. Wiecie już, że wieprzowina i jagnięcina są zbyt tłuste, aby można je było zaliczyć do produktów czysto proteinowych.

Spośród dozwolonych najwyższa ocena należy się koninie. To najprawdopodobniej najzdrowsze mięso rzeźne, o bardzo niskiej zawartości tłuszczu. Jest najlepszym mięsem na czwartek i jedynym, jakie może być spożywane tego dnia na surowo.

Tuż za nią jest cielęcina, jej części do pieczenia na grillu są również bardzo chude. Muszą być dobrze wypieczone. Kotlet cielęcy, trochę tłusty, lepiej zostawić na pozostałe dni tygodnia.

W wołowinie zawartość tłuszczu bardzo się zmienia zależnie od części. Poza bardzo tłustymi kawałkami na rosół najbardziej tłusty jest antrykot z kością i rozbratel z kością, toteż nie należą do produktów czysto proteinowych.

Najchudszymi kawałkami mięsa wołowego są z pewnością stek i polędwica. Podobnie jak mrożone mielone mięso wołowe z pięcioprocentową zawartością tłuszczu, wszystkie te kawałki można bez obawy spożywać w czwartek.

W przeciwieństwie do nich rostbef, antrykot, polędwica z kością, zrazowa, krzyżowa – trochę bardziej tłuste, lecz dozwolone w standardowej kuracji proteinowej – nie powinny być spożywane w czwartek.

Trzeba również wiedzieć, że w tym dniu lepiej jeść wołowinę dobrze wypieczoną lub ugotowaną, nie umniejsza to wartości protein, a eliminuje znaczną część tłuszczu.

RYBY I OWOCE MORZA. W standardowej kuracji czysto proteinowej wszystkie ryby, od najchudszych do najtłustszych, są dozwolone. Zaakceptowałem je z czasem mimo tłustego mięsa, bowiem ryby z zimnych mórz o niebieskiej skórze jak łosoś, sardynka, makrela i tuńczyk są dla wielu osób rarytasem o bardzo korzystnym działaniu na serce i naczynia krwionośne, a zawartość tłuszczu w nich jest podobna jak w rostbefie lub steku.

Jednak ta sama zawartość tłuszczu, akceptowana podczas kuracji odchudzającej, jest niedopuszczalna w przypadku, gdy czwartek pozostaje jedyną barierą obronną. Za to białe ryby są waszym najlepszym sprzymierzeńcem.

Poza tradycyjnymi sposobami przygotowania ryby na wywarze, w folii, w piekarniku, na grillu lub patelni, istnieje prosty i oryginalny sposób spożywania jej na surowo. Mero, miętus, dorada czy rdzawiec idealnie się do tego nadają. Marynowane przez kilka minut w cytrynie, w cieniutkich plasterkach lub małych kostkach, z dodatkiem soli, pieprzu i ziół prowansalskich, mogą być serwowane jako oryginalne, świeże i smakowite przystawki.

Najbardziej tłuste białe ryby to turbot, barwena i reja, zawierają jednak mniej tłuszczu niż najbardziej ascetyczny kawałek mięsa. Dlatego białe ryby wolno wam konsumować bez obaw.

Kraby, raki, krewetki, małże, ostrygi, muszle św. Jakuba są jeszcze chudsze niż ryby.

Półmisek owoców morza może być bardzo przydatny i wybawić was z kłopotu, gdy zmuszeni jesteście przyjąć niespodziewane zaproszenie do restauracji. Ale gdy jesteście amatorami owoców morza i uwielbiacie mieć ich dużo na talerzu, unikajcie tłustych dużych ostryg. W czwartek wybierzcie raczej ostrygi Fines de Claire lub – jeśli budżet wam na to pozwala – ostrygi Belons. Polejcie je obficie cytryną dla zapachu, nie dla soku.

DRÓB. To jedna z najlepszych podstaw do kuracji proteinowej z wyjątkiem ptactwa o płaskim dziobie – kaczki i gęsi, oczywiście spożywana bez skóry. W proteinowy czwartek trzeba jednak wnieść kilka ograniczeń.

Kurczak, podstawowy drób, jest dozwolony, ale unikajcie skrzydełek, górnej części udka i kupra – pozostawicie je sobie na inne dni tygodnia. W przypadku pozostałego drobiu nie ma ograniczeń. Perliczka i indyk są najchudszym drobiem, możecie jeść je spokojnie. Doskonałym źródłem czystych protein jest królik. Przepiórki i gołębie wprowadzają zróżnicowanie i odświętną nutę do czwartkowego menu proteinowego.

Drób można przygotować na różne sposoby.

Kurczak dużo zyskuje upieczony w piekarniku lub na rożnie. W czwartek lepiej wybierzcie rożen i pamiętajcie, by wyjąć kurczaka z naczynia zaraz po upieczeniu, aby nie nasiąkał tłuszczem.

Indyczkę, indyka i perliczkę najlepiej upiec w piekarniku, często podlewając wodą z cytryną, aby wypuściły tłuszcz.

W czwartek lepiej wybrać rożen niż garnek do przygotowania potrawy z przepiórek i gołębi.

Tego dnia królika przygotujmy raczej w sosie z białego chudego serka i ziół niż w sosie musztardowym polecanym w diecie uderzeniowej.

JAJA. Białko jaja jest pokarmem najbogatszym w proteiny i czystszym niż najbardziej skoncentrowane proteiny w torebkach. Białko to jednak tylko część jajka, a żółtko, przystosowane, by żywić rosnącego kurczaka, zawiera liczne tłuszcze złożone, z których najbardziej znanym jest cholesterol. Całość stanowi zrównoważony zestaw, odpowiedni do użycia w czwartek.

Jeśli szczególnie trudno ustabilizować wam wagę lub w tygodniu nastąpiło zbyt duże rozluźnienie i chcecie nadać czwartkowi szczególną siłę uderzeniową, nie przesadzajcie z jajkami albo zrezygnujcie z żółtka, zjadając tyle białek, ile wam się podoba.

Innym rozwiązaniem jest przygotowanie omletu lub jajecznicy z jednego żółtka i dwóch białek, a w przypadku doskwierającego głodu, można dorzucić do nich odtłuszczone mleko w proszku. Ale wszystkie środki ostrożności będą pozbawione sensu i wszelkie starania zostaną zaprzepaszczone, jeśli przygotujemy jaja na maśle lub oliwie. Najlepiej zrobić sobie prezent z dobrej, nieprzywierającej patelni i przed wbiciem jaj wlać kilka kropli wody na jej dno.

CHUDY NABIAŁ. Główna zaleta serków homogenizowanych, jogurtów i chudych twarogów to brak tłuszczu. Co jednak pozostaje w tych produktach, których konsumpcja według statystyki zwiększa się każdego roku? Pozostają oczywiście proteiny mleczne, wykorzystywane również do produkcji protein w proszku, oraz w niewielkich ilościach laktoza, czyli cukier mleczny – zdecydowany intruz w tym przypadku.

Doświadczenie pokazuje, że w diecie odchudzającej, która ma być zachowana przez pięć kolejnych dni i stosowana naprzemiennie przez następne tygodnie i miesiące, obecność laktozy w niczym nie umniejsza skuteczności kuracji czysto proteinowej i chudy nabiał – jedyne źródło świeżości i jedwabistości dla podniebienia – można konsumować bez ograniczeń, o ile nie przekroczy się 700–800 g dziennie.

Jednak w diecie ostatecznej stabilizacji, stosowanej tylko jeden raz w tygodniu, pokarmy muszą podlegać jeszcze ostrzejszej selekcji, by ograniczyć spożycie laktozy. Kiedy porównujemy skład chudego jogurtu ze składem chudego serka białego, zauważamy, że przy tej samej wartości kalorycznej biały serek zawiera więcej protein i mniej laktozy niż jogurt. W czwartek zatem amatorzy chudego nabiału powinni wybierać białe homogenizowane serki. Do jogurtów mogą powrócić w pozostałe sześć dni tygodnia.

WODA. Tu również należy zmodyfikować nakazy diety ściśle proteinowej. Półtora litra wody wydaje mi się najlepszym sposobem oczyszczenia organizmu spalającego własne zapasy tłuszczu, kiedy próbujemy zrzucić zbędne kilogramy. W czasie czwartkowej stabilizacji należy zwiększyć dawkę i przejść na dwa litry wody dziennie. Zasada ta, wywołując prawdziwą powódź w jelicie cienkim, zmniejsza jego chciwość. Jeszcze bardziej rozwadniając pokarmy, przedłuża i hamuje ich przyswajanie oraz – co jest dodatkową korzyścią – przyspiesza przechodzenie treści jelitowej.

To intensywne płukanie połączone z maksymalnym stężeniem protein stwarza falę uderzeniową paraliżującą proces przyswajania nie tylko w czwartek, ale również przez dwa–trzy następne dni, co pozwala osiągnąć właściwą średnią, biorąc pod uwagę, że w pozostałych dniach tygodnia ekstrakcja pokarmów powraca do najwyższego poziomu.

sól. Jest niezbędna do życia. Nasz organizm pływa w swego rodzaju wewnętrznym morzu (krew, limfa) o stężeniu soli podobnym jak w oceanach. Ale sól jest wrogiem osoby (zwłaszcza kobiety) starającej się schudnąć, ponieważ przyjmowana w nadmiarze grozi zatrzymaniem wody oraz infiltracją tkanek i tak już przeciążonych tłuszczem.

Z drugiej strony kuracja odchudzająca pozbawiona soli ma tendencję do obniżania ciśnienia tętniczego i grozi przemęczeniem, gdy trwa zbyt długo.

Dlatego podczas całego okresu utraty i utrwalania wagi Protal zaleca jedynie ograniczenie soli.

Jednak w stabilizujący czwartek nakaz zaostrzamy, bo ten dzień obronny musi być szczególnie ubogi w sól. Tak ograniczona w czasie, dotycząca tylko jednego dnia restrykcja obniży ciśnienie krwi, ale pozwoli wypitej wodzie przepłynąć bardzo szybko przez organizm, oczyszczając go.

Oczyszczenie to ważne jest zwłaszcza dla kobiet, gdy zmiany hormonalne powodują znaczne zatrzymywanie wody w niektórych fazach ich cyklu menstrualnego.

Z tych samych powodów w czwartek należy ograniczyć używanie musztardy, ale ocet, pieprz, zioła i wszelkie przyprawy wzywa się na pomoc, aby to ograniczenie zrekompensować.

Proteiny w proszku

Do tej pory, kiedy mówiliśmy o proteinach, chodziło o naturalne pokarmy bogate w białka.

Oprócz białka jaja kurzego żaden inny pokarm nie był, w ścisłym tego słowa znaczeniu, czystym białkiem. Cały nasz wysiłek skoncentrowaliśmy na starannej selekcji pokarmów o składzie najbliższym teoretycznej czystości.

Od kilku lat przemysł żywnościowy proponuje nam proteiny w proszku bliskie tej poszukiwanej czystości, ale nie osiągające jej całkowicie.

Teoretycznie te preparaty w torebkach mogłyby nas oczarować, ale w praktyce mają swoje dobre i złe strony, co wypadałoby rozważyć, zanim się na nie zdecydujemy.

Dobre i złe strony protein w proszku

KORZYŚCI. Główna zaleta protein w proszku polega na ich czystości.

Cecha ta, bez znaczenia w przypadku kuracji odchudzającej opartej na liczeniu kalorii, nabiera ogromnej wagi podczas kuracji czysto proteinowej. Wiecie już, że jelito cienkie, którego zadaniem jest wyrwanie kalorii z pokarmów, spełnia je najwydajniej, gdy pracuje nad proporcjonalną mieszanką protein, węglowodanów i tłuszczów. Kiedy jednak dostarczamy mu tylko proteiny, jego zdolność ekstrakcji zostaje zahamowana i wszystko zaczyna toczyć się tak, jakby organ ten stracił umiejętność odżywiania się.

Podczas dwóch pierwszych faz planu Protal, w przypadku długotrwałego odchudzania się, absolutna czystość tych proszków jest z pewnością interesująca, ale nie osiągają one zdecydowanej przewagi nad naturalnymi produktami białkowymi.

Natomiast w fazie ostatecznej stabilizacji, kiedy dieta zajmuje tylko jeden dzień w tygodniu, ta maksymalna czystość może się okazać cenna, bowiem wyostrza cięcie proteinowego czwartku, wzmacnia jego działanie i zapewnia bezpieczeństwo na resztę tygodnia.

Dla wszystkich zabieganych i zapracowanych, pozbawionych możliwości zasiadania do stołu o normalnej porze, torebka proszku ma tę zaletę, że jest niebrudząca, przenośna i niezależnie od sytuacji łatwa w użyciu.

WADY. Proteiny w proszku to pokarmy sztuczne. W normalnych warunkach istota ludzka nie jest zwierzęciem biologicznie zaprogramowanym, aby żywić się proszkiem. Nasze zmysły, wzrok, dotyk, powonienie i smak, jak również centra mózgowe odpowiedzialne za sytość i odczuwanie przyjemności smakowej spontanicznie kierują nas w stronę pokarmów o pewnym szczególnym wyglądzie, smaku, zapachu i konsystencji.

Biały proszek, nawet osłodzony i aromatyzowany, nie wytwarza żadnego bodźca, który mógłby nas poruszyć. Jedzenie to być może przyjmowanie pewnej ilość energii i składników odżywczych, a na pewno – i to w coraz większym stopniu w związku z rosnącą potrzebą kompensowania stresu, jaki niesie współczesne życie – pragnienie doznawania podstawowych przyjemności zmysłowych

Wszyscy dietetycy wiedzą, że przedłużające się kuracje oparte na proteinach w proszku w końcu powodują ataki bulimii, doprowadzając do rozregulowania zdecydowanie wykluczającego możliwość jakiejkolwiek stabilizacji.

Dlatego ten rodzaj pokarmów może być przyjmowany tylko okazjonalnie.

Drugą wadą protein w proszku jest zróżnicowany poziom czystości białek.

Nie należy mylić protein w proszku z substytutami posiłków o zawartości protein, węglowodanów i tłuszczów podobnej do znajdującej się w jakimkolwiek tradycyjnym posiłku, tylko bez przyjemności jego spożywania.

Producenci saszetek z proteinami przeznaczonymi do diety proteinowej utrzymują, że preparaty te składają się wyłącznie z czystego białka, lecz nie zawsze tak jest. Nie chcę w tym miejscu wymieniać marek produktów, ale pamiętajcie, że aby przewyższyć poziom czystości białek, jaki daje oparta na naturalnych produktach dieta czwartkowa, substancje te musiałyby się składać w 95% z czystych białek, a takich produktów jest na rynku bardzo mało.

Trzecia wada wynika z wartości biologicznej protein w proszku.

Nie wszystkie dostępne na rynku proteiny w torebkach mają taką samą jakość. Różnice zależą od rodzaju pokarmów, z których są wyprodukowane, i od sposobu ich ekstrakcji.

Proteiny są długimi łańcuchami aminokwasów. Istnieje osiem aminokwasów niezbędnych dla człowieka. Brak w pożywieniu któregokolwiek z nich uniemożliwia syntezę białek i zmusza organizm do czerpania protein z własnych mięśni, jak na przykład w przypadku protein pochodzenia roślinnego, w większości niepełnowartościowych, które dlatego powinny być wzbogacane o brakujące aminokwasy. Aby uniknąć tych sztucznych kombinacji z trudem dorównujących naturalnym połączeniom, lepiej wybrać pełnowartościowe proteiny pochodzenia zwierzęcego, najczęściej produkowane z mleka.

Czwartą wadę stanowi brak włókien pokarmowych.

Kiedy brakuje włókien, przewód pokarmowy nie znajduje w sproszkowanych posiłkach oparcia koniecznego do dobrego funkcjonowania. Długotrwałe spożywanie protein w proszku powoduje ciągłe zaparcia i nieprzyjemne, a czasami bolesne, wzdęcia.

Brak włókien pokarmowych to również problem dla podniebienia. Posiłki w proszku nie mają ani konsystencji, ani twardości, których potrzebuje armatura mięśniowa i sensoryczna jamy ustnej. Przyjmowanie pokarmów jest zbyt szybkie i sprawia wrażenie spożywania pustki.

Co ważne, kiedy w pożywieniu brak włókien pokarmowych przyswajanie pokarmów i ich kalorii jest maksymalne.

Kilku producentów wprowadza do protein w proszku otręby pszenicy, lecz ich obecność jest zazwyczaj symboliczna, a nawet w niewielkich dawkach te nierozpuszczalne włókna mogą podrażniać, często bardzo wrażliwe, jelita kobiet.

Jedyny sposób wykorzystania zalet błonnika, którego tak bardzo brak w torebkach, to stosowanie otrąb owsianych. Ten prototyp włókna rozpuszczalnego jest jednocześnie łagodny dla jelit i bezwzględny dla kalorii, zatrzymuje je i przenosi do stolca. To prawdziwa szansa dla otyłych, o czym szerzej opowiem w następnym rozdziale.

Wady protein w proszku przeważają nad zaletami, choć od czasu do czasu proteiny takie mogą się okazać bardzo użyteczne, zastępując nieodpowiedni posiłek czy kanapkę, lub pozwolą uniknąć niezjedzenia posiłku.

W praktyce planu Protal nie są szczególnie przydatne podczas samego chudnięcia, ale w trakcie ostatecznej stabilizacji mogą, w ramach wzmocnienia skuteczności proteinowego czwartku, zastąpić jeden z dwóch podstawowych posiłków.

Włókna stabilizujące:
trzy łyżki otrąb owsianych dziennie, do końca życia

Wytrwały czytelnik musiał zauważyć, że często się powtarzam, ale robię to celowo, bowiem każde polecenie, aby mogło być stosowane, musi być zrozumiane, a może być zrozumiane, gdy jest wiele razy powtarzane, szczególnie w przypadku pojęć niecodziennych i wychodzących poza tradycyjny system objaśnień.

Mówiłem o białkach z tak dużym naciskiem, ponieważ w przeciwieństwie do rozpowszechnionych opinii ten składnik żywnościowy nie jest, jak tłuszcze i cukry, zwykłym nośnikiem kalorii. Proteiny w niektórych okolicznościach, zwłaszcza gdy są używane w czystej postaci, mogą stać się „antypokarmem", nie tylko wytracając część wartości kalorycznej, ale, co dziwniejsze, hamując na pewien czas prawidłowe funkcjonowanie organów trawienia i przyswajania.

Z tych samych powodów muszę podkreślić znaczenie włókien pokarmowych. Ich regulujące działanie na przechodzenie treści jelitowej jest dobrze znane interesującym się tymi kwestiami osobom, ale o zadziwiającym wpływie włókien na unormowanie wagi nic nie wiedzą.

Włókna rozpuszczalne i nierozpuszczalne

W wielkiej rodzinie włókien pokarmowych rozróżniamy włókna, które służą roślinom jako otoczka, nie ulegają rozpuszczaniu i dlatego pełnią funkcję balastu jelitowego. Najbardziej znanym i najpowszechniej używanym jest błonnik otrąb pszenicy.

Włókna rozpuszczalne mają bardziej elastyczną konsystencję i są rozkładane w przewodzie pokarmowym. Odnajdujemy je w pektynach jabłka, bakłażanów, cukinii, a przede wszystkim w dużej ilości w otrębach owsianych.

Nierozpuszczalne i twarde włókna otrąb pszenicy będą bardzo pomocne dla cierpiących na zaparcia. Ich twardość może być jednak ciężkim wyzwaniem dla wrażliwych jelit kobiet, szczególnie tych, które skarżą się na wzdęcia i marzą o płaskim brzuchu.

Włókna rozpuszczalne również działają przeciw zaparciom, lecz zdecydowanie łagodniej i subtelniej. Jednak ich podstawową i niestety niewystarczająco znaną rolą jest formowanie w przewodzie pokarmowym rozproszonego żelu, który otacza i przenika pokarmy i w miriadach swych wakuoli zatrzymuje cząstkę tego, co się tam znajduje, składniki odżywcze i kalorie, wiąże je i pociąga za sobą do stolca. Najwartościowszymi przedstawicielami tych włókien są otręby owsiane i pektyna jabłek – niestety nieistniejąca w czystej formie w pokarmach, dostępna tylko w aptekach w postaci kapsułek. Dlatego wybrałem otręby owsiane.

Otręby owsiane: ich stwierdzone właściwości odchudzające

Otręby owsiane są pokarmem najbardziej bogatym w błonnik – 25%, czyli zawierają go więcej niż suszone śliwki czy figi – 10%, zielona fasolka – 7%, marchew czy pory – 3%. Zawarte w nich włókna są zdolne wchłonąć ogromne ilości wody, zwiększając objętość nawet czterdzieści razy.

Dowiedziono, że spożycie powyżej 10 g dziennie tych włókien formuje w jelicie „zasadzkę" wyłapującą składniki odżywcze, co przynosi nieocenione korzyści ludziom mającym za dużo cholesterolu, cukrzykom zaniepokojonym nadmiarem cukru, a przede wszystkim osobom z tendencją do tycia, zbyt dobrze wykorzystującym wartość kaloryczną pokarmów.

Błonnik owsa przyjmowany w odpowiedniej ilości może zatrzymać kalorie pobrane w jelitach, co prawda niewiele, ale nabiera to znaczenia przy częstym stosowaniu. Choć wydaje się to nieprawdopodobne, niektóre kalorie wykradzione i przeniesione do stolca nigdy nie przedostaną się do krwi i nie będą już mogły być zużyte lub odłożone przez organizm.

W ten sposób otręby owsiane są odpowiedzialne za niewykorzystanie nieproszonych kalorii pobranych z trzech składników odżywczych dostarczonych przez pożywienie.

Od dzisiaj zatem możemy i powinniśmy uważać otręby owsiane za prawdziwe lekarstwo na nadwagę.

W tej dziedzinie Amerykanie są prawdopodobnie bardziej przenikliwi od nas. Owies – najważniejszy element żywienia w Ameryce Północnej – jako pierwszy produkt otrzymał znak Amerykańskiego Towarzystwa Kardiologicznego (American Heart Association), co pozwala amerykańskim producentom powoływać się na tę zacną instytucję, podkreślając rolę owsa w zapobieganiu chorobom sercowo-naczyniowym i cukrzycy.

Jak używać otrąb owsianych?

Otręby owsiane to płatki pozbawione smaku i zapachu. Zarzuca się im często, że przyklejają się do podniebienia, a w pierwszych dniach stosowania lekko podrażniają wrażliwe jelita. Uczmy się zatem je stosować.

✓ Zwykła ostrożność polega na stopniowym wprowadzaniu otrąb owsianych do pożywienia, zaczynając od 1 łyżki stołowej dziennie aż do osiągnięcia pod koniec tygodnia użytecznej dawki 3 łyżek.

✓ Otręby owsiane można spożywać z wodą, ale ich błyskawiczne żelowanie nadaje im papkowatą konsystencję, nie przez każdego lubianą. Wielu woli używać otrąb wymieszanych z chudym nabiałem, białym serkiem lub jogurtem i wykorzystać ich żelowość, by zwiększyć pulchność i nadać im przyjemny zbożowy smak. Najlepszym jednak sposobem są naleśniki lub placki. Oto przepis: dobrze wymieszać 2 łyżki stołowe otrąb owsianych z taką samą ilością otrąb pszenicy. Dodać 1 jajo lub 1 białko, według upodobania, i 1 łyżkę stołową serka homogenizowanego niezawierającego tłuszczu. Posolić lub posłodzić, wedle uznania. Dobrze ubić i smażyć 1 minutę z każdej strony na nieprzywierającej patelni posmarowanej dwiema kroplami oliwy za pomocą ręcznika papierowego. W tej postaci otręby stają się daniem, które konsumuje się z przyjemnością. Dzięki połączeniu z jajkiem i białym serkiem naleśnik taki ma silne działanie sycące, co w połączeniu z efektem utraty kalorii czyni z niego rzadko spotykany prawdziwy pokarm odchudzający.

✓ Pewne środki ostrożności powinny zachować osoby cierpiące na spazmofilię, u których nadwrażliwość na stres powoduje chroniczny brak magnezu. To, co stanowi siłę otrąb owsianych, czyli zdolność uwięzienia substancji odżywczych i kalorii w jelitach, działa również częściowo na niektóre sole mineralne i oligoelementy kęsa pokarmowego.

Przy dawce trzech łyżek stołowych dziennie efekt ten nie jest wystarczający, by spowodować niedobory tych elementów, przypominam jednak niektórym nadgorliwym o zachowaniu ostrożności, by uzyskane rezultaty nie popchnęły ich do zwiększenia dawek. Powinni w tym przypadku dodać do swojego odżywiania trochę magnezu, a zimą witaminę D.

Podsumowanie

Ci, którzy czytając moją książkę, odkrywają otręby owsiane i zaczynają rozumieć rolę, jaką może odegrać w ich nowym życiu dostarczanie włókien rozpuszczalnych, powinni pamiętać, że nie ma to nic wspólnego z leczeniem. Otręby to skoncentrowana i cenna rezerwa rozpuszczalnych włókien, naturalny element niezbędny każdemu z nas, a przede wszystkim czterem kategoriom osób: cierpiącym na zaparcia, otyłym, cukrzykom i ludziom o podwyższonym poziome cholesterolu. Naukowe badania udowodniły ponadto, że włókna rozpuszczalne znacznie zmniejszają w obrębie danej populacji częstotliwość zachorowań na raka jelit.

W tym przypadku zajmujemy się wyłącznie otyłością i skłonnością do tycia, a przede wszystkim nadzieją, że poprzez dwa proste i mało przymuszające środki uzyskamy ostateczną stabilizację wagi.

Czy ci, którzy od dawna prowadzą nierówną walkę ze swoją skłonnością do tycia, mają powód, aby wahać się przed zaakceptowaniem jednego dnia diety proteinowej w tygodniu i trzech łyżek otrąb owsianych dziennie?

Memento kuracji ostatecznej stabilizacji

Przejść do normalnego sposobu odżywiania się podczas sześciu dni w tygodniu, zachowując dobre nawyki nabyte w czasie kuracji, i stosować co czwartek lub, jeśli to niemożliwe, w środę lub piątek jeden dzień czystych protein (kuracja uderzeniowa) w sposób regularny, ścisły i przez całe życie.
Spożywać codziennie 3 łyżki stołowe otrąb owsianych.
Zaniedbanie tych dwóch zasad, stanowiących jeden z filarów planu Protal, to gwarancja odzyskania CAŁEJ UTRACONEJ WAGI w niedalekiej przyszłości.

Przepisy i jadłospisy
w fazie uderzeniowej
oraz fazie równomiernego rytmu

Na pewno oswoiliście się już z dietą czysto proteinową – podstawą działania odchudzającej części planu Protal – oraz stabilizującego czwartku. Jeśli już wprowadziliście je w czyn, z pewnością zauważyliście zaskakujące połączenie prostoty i skuteczności. Ta wykluczająca wszelką dwuznaczność prostota bardzo precyzyjnie określająca, jakie produkty są dozwolone, to jeden z największych atutów tej kuracji. Ale dieta ta ma również swoją piętę Achillesa – niektórzy pacjenci ryzykują, z braku czasu lub wyobraźni ograniczając się do zbyt wąskiej grupy pokarmów i sprowadzając odżywianie do powtarzających się ciągle odwiecznych steków, jaj na twardo i chudych jogurtów.

Oczywiście rozwiązanie to jest zgodne z *credo* diety – mamy dowolny wybór produktów z listy pokarmów dozwolonych – ale z czasem ograniczenie takie może wydać się monotonne, przytłaczające i powodować niezgodne z prawdą wrażenie, że dieta ta jest smutna i frustrująca.

Nic podobnego! Najważniejsze, szczególnie w przypadku osób mających sporo wagi do zrzucenia, starać się zrobić wszystko, by dieta ta była nie tylko możliwa do zniesienia, ale przede wszystkim apetyczna i atrakcyjna.

Podczas konsultacji stwierdziłem, że dysponując tą samą listą dozwolonych produktów, niektóre kobiety okazywały więcej inwencji niż inne, tworząc śmiałe kombinacje potraw – ich dieta stawała się przyjemna i urozmaicona.

Zacząłem gromadzić te przepisy i proponować je kobietom z mniejszą ilością wolnego czasu lub mniejszą inwencją, stwarzając giełdę na użytek wszystkich osób pragnących rozpocząć Protal.

Przepisy te opierają się wyłącznie na produktach z listy pokarmów dozwolonych w trakcie kuracji uderzeniowej ściśle proteinowej, a następnie na produktach z listy zalecanych przy diecie naprzemiennej.

Przepisy te to tylko sugestie. Nie doścignął weny twórczej wielu osób, którym zawsze udaje się wprowadzić jakieś zmiany i sprawić, że ich dieta z dnia na dzień staje się coraz bardziej zróżnicowana. Jeśli należycie do tego, niestety, coraz bardziej zacieśniającego się kręgu wybornych kucharzy, z góry dziękuję za przysłanie mi nowych przepisów – które z pewnością dołączę do następnych wydań tej książki.

Najważniejszym celem tego zbioru przepisów jest pomóc wszystkim, którzy z niego skorzystają, przetrzymać trudny czas diety i poprawić jakość oraz wygląd potraw i posiłków.

Przepisy na okres diety uderzeniowej

Sosy

Do większości sosów używa się tłustych produktów, jak oliwa, masło czy śmietana, które są głównymi wrogami osoby pragnącej schudnąć. Dlatego należy je absolutnie wykluczyć z jadłospisu w dwóch pierwszych fazach kuracji *sensu stricto* odchudzających.

Dużym problemem planu Protal jest zatem znalezienie spoiwa do sosów oraz samych sosów mogących towarzyszyć tak szlachetnym i cennym produktom, jak mięso, ryby, jaja i drób.

Wspomniane wyżej tłuszcze zastępujemy, mając do dyspozycji olej parafinowy, gumę guar i mąkę kukurydzianą.

OLEJ PARAFINOWY: Ten olej mineralny przechodzi przez przewód pokarmowy, nie przenikając go, co sprawia, że nie dostarcza do organizmu żadnej kalorii, a dzięki właściwościom naoliwiającym smaruje jelita. Bardzo pożyteczny w trakcie diet mogących wywoływać zaparcia.

Jego jedyna niedogodność to konsystencja gęstsza niż oleju roślinnego, ale można ją znacznie zmniejszyć, dodając trochę niskozmineralizowanej wody gazowanej, co ułatwia emulsję. Jeśli oleju użyje się zbyt dużo, parafina może zadziałać jak środek przeczyszczający. Aby tego uniknąć, należy ograniczyć dawki i zmienić sposób jej łączenia z innymi składnikami sosu.

GUMA GUAR: Mało znana substancja pochodzenia roślinnego, do kupienia w aptece w postaci proszku, praktycznie pozbawiona kalorii. Jej właściwości żelujące pozwalają zagęścić sosy i nadać im podobnie aksamitną konsystencję jak tłuszcze. Stosuje się ją w bardzo małych dawkach (1/4 łyżeczki na 150 ml płynu), gęstnieje pod wpływem ciepła.

MĄKA KUKURYDZIANA: Ten podobny do tapioki składnik jest użyteczny w kuchni dzięki właściwościom silnie wiążącym i zagęszczającym. Mąka kukurydziana to węglowodan, lecz potrzebna nam ilość jest tak minimalna (łyżeczka na 125 ml sosu), że nie ma to znaczenia. Pozwala uzyskać gęsty, jedwabisty sos, na przykład beszamel, bez dodatku tłuszczu.

Przed połączeniem z ciepłą mieszanką powinna być rozprowadzona w niewielkiej ilości zimnego płynu: wody, mleka lub bulionu. Gęstnieje pod wpływem gotowania.

KOSTKI BULIONOWE BEZ TŁUSZCZU (ROSOŁOWA, DROBIOWA, RYBNA LUB WARZYWNA): Są bardzo przydatne w przygotowywaniu niektórych sosów nie tylko ze względu na ich właściwości wiążące i zagęszczające, zamiast oliwy w vinaigrette, ale przede wszystkim wymieszane z posiekaną i podsmażoną na złoto cebulą mogą urozmaicić mięsa i ryby przygotowane bez dodatku tłuszczu.

Proponuję kilka podstawowych przepisów na sosy z użyciem powyższych składników

Vinaigrette

Podstawowy i bardzo ważny sos używany w czasie diety równomiernego rytmu, ułatwiający spożycie sałatek i surówek. Można go przygotowywać na dwa sposoby, dzięki czemu każdy znajdzie wersję pasującą do jego upodobań.

VINAIGRETTE NA PARAFINIE: Aby uzyskać vinaigrette o przyjemnym smaku i zmniejszyć gęstość parafiny, należy wymieszać ją z gazowaną wodą oraz znacznie zwiększyć ilość octu i musztardy. Zachować następujące proporcje:

1 łyżkę stołową oleju parafinowego,
1 łyżkę wody gazowanej,
2 łyżki octu z Xeres, malinowego lub balsamicznego,
1 łyżkę musztardy z Dijon,
sól, pieprz.

Smakosze mogą dorzucić zieleninę, sos sojowy, tabasco lub worcester.

VINAIGRETTE NA BULIONIE Z WARZYW: Rozpuścić kostkę bulionową bez tłuszczu w 2 łyżkach stołowych gorącej wody, dodać 1 płaską łyżeczkę mąki kukurydzianej, 2 łyżki stołowe octu i 1 łyżkę stołową ziarnistej musztardy.

Majonezy

KLASYCZNY MAJONEZ NA PARAFINIE: Do miseczki wbić 1 żółtko, dodać sól, pieprz i łyżeczkę octu. Rozprowadzić powoli żółtko, aby sól, pieprz i ocet dobrze się wymieszały. Dodawać po kropli oleju parafinowego, nieustannie mieszając. Kiedy majonez zaczyna rosnąć, doprawić do smaku, jeśli to konieczne. Aby uzyskać bardziej spoistą konsystencję sosu, można dodać musztardę.

ZIELONY MAJONEZ: Przygotować podobnie jak klasyczny majonez, dodając dużą ilość drobno posiekanej zielonej pietruszki lub szczypiorku.

MAJONEZ BEZ OLEJU: Ugotować jajko na twardo. Rozgnieść je widelcem i wymieszać z połówką białego homogenizowanego serka bez tłuszczu (50 g). Dodać drobno posiekane świeże zioła, sól i pieprz.

Dietetyczny sos berneński

Przygotować szalotkę, estragon, ocet, 2 jaja. Ugotować drobno posiekaną szalotkę w małej szklance octu. Dodać posiekany estragon, wedle uznania. Ostudzić ocet i połączyć go z dwoma żółtkami, dobrze ubijając jak na majonez.

Sos ravigote

Zmiksować jajo na twardo, 3 średnie korniszony, małą surową cebulę i bukiet ziół. Wymieszać wszystko w miseczce z dwoma jogurtami niezawierającymi tłuszczu, połową łyżeczki musztardy i solą.

Dodać 2 łyżeczki oleju parafinowego, posolić, popieprzyć, podgrzać, zanurzając naczynie w innym naczyniu wypełnionym wrzącą wodą, i podawać z mięsem na ciepło lub na zimno.

Sos ravigote podaje się do ryb, jaj na twardo, mięs i jarzyn.

Sos biały

Przygotować 2 jaja, chudy jogurt i pół szklanki chudego mleka. Lekko podgrzać mleko, posolić je i popieprzyć. Dodać 2 żółtka, cały czas dobrze ubijając, następnie dodać jogurt. Na zakończenie podgrzać całość w naczyniu do gotowania na parze z podwójnym dnem.

Jeśli chcemy podać sos do ryb, można do niego dodać posiekany korniszon.

Sos gribiche

Dla 4 osób. Dobrze rozetrzeć 1 jajo na twardo. Dodać 2 łyżeczki musztardy, 1 łyżkę stołową octu, 1 łyżeczkę oleju parafinowego wymieszanego wcześniej z odrobiną wody gazowanej, następnie dodać 1 łyżkę ubitego jogurtu naturalnego, sól, pieprz, zieloną pietruszkę i posiekane korniszony. Świetnie pasuje do pot-au-feu, bardzo popularnej w kuchni francuskiej potrawy jednogarnkowej składającej się z dwóch dań: rosołu i sztuki mięsa z różnymi jarzynami, a także do zimnych mięs, szczególnie ozora.

Sos zielony

Przygotować po 25 g: szczawiu lub rzeżuchy, natki pietruszki, estragonu, szczypiorku, naci selera, mięty i młodej szalotki.

Posiekać wszystko bardzo drobno i dodać młode szalotki. Pokroić 3 całe jaja na twardo i zmiksować. Wymieszać 4 chude jogurty, ocet, sól i pieprz, zioła i szalotki. Zmiksować i odstawić w chłodne miejsce.

Zielony sos jest doskonały do wołowiny z pot-au-feu, na zimno lub ciepło.

Sos z pomidorów (coulis)

Dla 4 osób. W głębokiej nieprzywierającej patelni zeszklić cienko pokrojoną cebulę, dodać 6–8 świeżych pomidorów bez skórki i pestek lub, dla bardziej niecierpliwych, 300 ml miąższu z pomidorów w puszce. Posolić i popieprzyć.

Przykryć i dusić na wolnym ogniu 20 minut. Ostudzić i zmiksować. Dodać świeżą miętę, bazylię i estragon dla aromatu.

Używać do zapiekanek z ryb lub warzyw.

Sos ze świeżych ziół

Dla 4 osób. Rozpuścić kostkę rosołową, rybną lub warzywną bez tłuszczu w połowie szklanki letniej wody i dodać, dobrze rozprowadzając, 1 łyżeczkę mąki kukurydzianej. Całość postawić na ogniu i ciągle mieszając, doprowadzić do zgęstnienia. Zdjąć z ognia, dodać, dobrze mieszając, 200 g białego homogenizowanego serka, zioła, sól i pieprz.

Nadaje się do mięs i ryb.

Sos myśliwski

Dla 4 osób. W 3 łyżkach stołowych octu z 2 stołowymi łyżkami wody gotować pod przykryciem mniej więcej przez 10 minut dwie posiekane szalotki. Zdjąć pokrywkę i odparowywać przez 5 minut.

Zdjąć z ognia, dodać 1 roztrzepane żółtko i 2 łyżki stołowe białego serka. Posolić i popieprzyć. Dodać gałązkę posiekanego estragonu. Podgrzać w naczyniu do gotowania na parze aż do otrzymania odpowiedniej konsystencji sosu.

Używa się go do mięs i ryb.

Sos holenderski

Dla 4 osób. W rondelku do gotowania na parze roztrzepać 1 żółtko z 1 łyżeczką musztardy i 2 łyżkami stołowymi soku z cytryny. Podgrzewać przez kilka minut na wolnym ogniu do zgęstnienia sosu, następnie powoli dodawać 50 ml ciepłego mleka, ciągle mieszając. Doprowadzić do zgęstnienia. Podawać ciepły.

To klasyczny dodatek do białych ryb, ale nadaje się również do szparagów, zielonej fasolki i szpinaku.

Sos beszamel

Wymieszać na zimno 0,25 l chudego mleka i 1 łyżkę stołową
mąki kukurydzianej, następnie dodać kostkę chudego rosołu.
Gotować kilka minut na wolnym ogniu do zgęstnienia. Dodać
sól, pieprz lub gałkę muszkatołową, wedle uznania.

Doskonale nadaje się do zapiekanek z jarzyn, a szczególnie
do cykorii z szynką.

Sos chrzanowy

Zmiksować pół opakowania serka homogenizowanego z 1 łyżeczką tartego chrzanu, solą i pieprzem aż do momentu, gdy
mieszanka stanie się puszysta.

Doskonale pasuje do ryb gotowanych na parze, pieczonych
w folii lub w mikrofalówce. Można go używać również do białych mięs.

Sos boski

Do rondla wbić 2 żółtka, dodać 1 łyżkę stołową musztardy,
150 g chudego białego serka, 1 łyżeczkę mąki kukurydzianej
oraz sól i pieprz. Doprowadzić wszystko do wrzenia. Zdjąć
z ognia, dodać trochę posiekanych ziół i sok z jednej cytryny.

Dodatek do ciepłych dań z ryb. Można spożywać go zarówno na ciepło, jak i na zimno.

Mięsa

NAJPIERW PRZEPISY Z WOŁOWINY

Pieczeń wołowa

Przygotować kawałek polędwicy (lub rostbef), wstawić do nagrzanego wcześniej piekarnika. Posolić pod koniec pieczenia, aby mięso nie wyschło. Przyjąć następującą zasadę pieczenia: kwadrans na każde pół kilograma mięsa w gorącym piekarniku.

Resztki zimnej wołowiny

Podawać z jednym z licznych sosów opisanych powyżej.

Szaszłyki z polędwicy wołowej

Pokroić na grube kawałki 400 g polędwicy wołowej i nabić na szpikulce na przemian z talarkami cebuli, tymiankiem i listkiem laurowym. W fazie uderzenia czystymi proteinami można poprzedzielać kawałki mięsa kawałkami pomidorów i papryki, ale nie po to, by je zjeść, lecz by mięso przeszło ich smakiem i aromatem oraz dla walorów dekoracyjnych.

Stek z pieprzem

Usmażyć duży stek na nieprzywierającej patelni. Pod koniec smażenia pokryć go grubo zmielonym pieprzem. Osobno lekko podgrzać pół kubeczka chudego jogurtu, dodać 1 łyżeczkę oleju parafinowego oraz pieprz i wylać połowę otrzymanej mieszanki na gorący stek. Pozostawić chwilę na zgaszonym palniku, mieszając pozostały sos i wylewając go na stek.

Wołowina gotowana

Ugotować kawałek bardzo chudej wołowiny (około 0,5 kg) w 1,5 l wody z dodatkiem tymianku, listka laurowego i jednej cebuli. Posolić i popieprzyć.

Gotować 75 minut i podawać letnią, pokrojoną w kostki, z sosem ravigote i korniszonami.

Po zakończeniu fazy uderzeniowej, kiedy w jadłospisie pojawią się warzywa, można dodać do bulionu por i podawać wołowinę z sosem pomidorowym.

Pieczeń z mielonej wołowiny (10–12 plastrów)

Składniki: 1,2 kg mielonej wołowiny, 2 surowe jaja, jaja na twardo, sól, pieprz, 1 starta cebula i 180 g białego serka homogenizowanego niezawierającego tłuszczu.

Rozbić jaja. Startą cebulę, serek, sól i pieprz starannie wymieszać ze zmielonym mięsem. Posmarować oliwą i posypać mąką formę do keksu ze szkła żaroodpornego, wyłożyć do niej połowę masy.

Pokroić jaja na twardo w plasterki i ułożyć je wzdłuż jeden przy drugim. Przykryć pozostałą masą.

Nagrzać piekarnik do 180°C. Piec około 1 godziny.

Podawać na zimno lub ciepło, z dodatkiem sosu chrzanowego, sosu zielonego lub sosu z pomidorów.

NASTĘPNIE KILKA PRZEPISÓW Z CIELĘCINY

Potrawka cielęca

Wybrać 0,5 kg chudej cielęciny. Pokroić w kawałki i ugotować. Osobno podgrzać dużą filiżankę chudego mleka z tymiankiem. Posolić, popieprzyć i wylać ostudzone mleko na trzy surowe żółtka, dokładnie mieszając. Dodać sól i pieprz, polać tym sosem cielęcinę. Podgrzać, nie doprowadzając do zagotowania.

Eskalopek cielęcy

Przygotować w nieprzywierającej patelni warstwę cebuli podlaną rozpuszczoną w niewielkiej ilości wody kostką rosołową bez tłuszczu. Gotować na wolnym ogniu aż do prawie całkowitego wyparowania wody. Położyć eskalopek na warstwie cebuli i gotować jeszcze 10 minut z każdej strony. Pod koniec wyjąć cebulę i podsmażyć eskalopek na ostrym ogniu w pozostałym na patelni sosie. Podawać ze skórką z cytryny.

Kotlet cielęcy z patelni

Sposób przygotowania identyczny jak w poprzednim daniu, ale pod koniec wlać 2 stołowe łyżki wody na kotleta ułożonego na cebuli i zagotować wszystko przez dodatkową minutę. Podawać kotlet z dwoma korniszonami pokrojonymi w talarki.

Pasztet cielęcy

Przygotować dzień przed podaniem.
Składniki: 500 g zmielonej szynki bez skóry i tłuszczu, 100 g cielęciny, 4 jaja rozbite jak na omlet, 1 łyżka żurawin zmielonych w młynku, sól i pieprz.

Wymieszać zmielone żurawiny, sól i pieprz z rozbitymi jajami. Dodać zmielone mięso i dobrze wymieszać.

Posmarować formę na keks nasączonym jedną kroplą oliwy ręcznikiem papierowym i posypać mąką. Nałożyć masę.

Wstawić na 60–90 minut do piekarnika z termoobiegiem nagrzanego do 160°C.

NA ZAKOŃCZENIE KILKA PRZEPISÓW
DLA AMATORÓW PODROBÓW

Wątróbka cielęca smażona na patelni w occie z Xeres

Ułożyć warstwę pokrojonej cebuli w nieprzywierającej patelni i podsmażyć na wolnym ogniu na złotawy kolor. Położyć plaster cielęcej wątróbki i smażyć 10 minut z każdej strony. Pod koniec zdjąć cebulę i dokończyć smażenie na ostrzejszym ogniu, podlewając pozostały na patelni sos octem winnym.

Ozór wołowy w sosie ravigote

Oczyścić ozór z tłuszczu i przygotować do gotowania w 1,5 l wody z tymiankiem, liściem laurowym i jedną cebulą. Dodać sól i pieprz.

Gotować 75 minut, podawać letni, pokrojony w plastry, z sosem ravigote i korniszonami.

Pamiętać o jedzeniu wyłącznie przedniej części ozora, bo im bliżej czubka, tym mięso jest chudsze.

Szaszłyki z serca i cynader

Pokroić w kawałki 400 g wymieszanych w równych proporcjach cynader i serca z cielęcia lub jagnięcia, nabić je na szpikulce, dodając plasterki cebuli, tymianek i liść laurowy. W fazie uderzenia czystymi proteinami można szaszłyk przełożyć kawałkami pomidorów i papryki, by podroby przeszły ich smakiem i aromatem oraz dla walorów dekoracyjnych, ale nie do zjedzenia!

Drób

Kurczak w estragonie

Natrzeć kurczaka czosnkiem i estragonem, następnie posiekać estragon i posypać nim wnętrze kurczaka. Posolić i popieprzyć. Upiec na rożnie lub w piekarniku. Nie zjadać skóry i końcówek skrzydełek.

Suflet z kurczaka

Posiekać piersi z kurczaka, dodać sól, pieprz i zieleninę.
Podgrzać małą filiżankę chudego mleka i zalać nią 2 surowe żółtka. Wymieszać wszystko z posiekanym kurczakiem, następnie ubić na sztywno pianę z dwóch białek i dodać ją delikatnie do farszu (suflet lepiej wyrośnie). Wstawić do średnio nagrzanego piekarnika na 1,5 godziny.

Drobiowe terrine z estragonem

Składniki: około 1,5 kg kurczaka, 2 marchewki, 2 pomidory, 1 por, cebula, gałązka estragonu, 1 białko, 1 łyżeczka żurawin, sól, pieprz.

Opłukać kurczaka i pokroić go na kawałki. Obrać warzywa (marchewkę, por, cebulę), umyć i pokroić. Włożyć do garnka z 1 l wody. Doprowadzić do wrzenia. Dołożyć kurczaka, posolić, popieprzyć, zszumować, gotując na małym ogniu przez 1 godzinę.

Wyjąć kurczaka, odsączyć, oddzielić mięso od kości, cienko je pokroić. Oczyszczone z pestek pomidory pokroić na małe kostki. Włożyć pokrojonego kurczaka do formy na keks, przedzielając kawałki mięsa pomidorami i listkami estragonu. Doprowadzić bulion do wrzenia i odparować do około 25 ml.

Ubić pianę z białka widelcem, wlać do niej bulion, gotować 1 minutę. Ostudzić i przepuścić przez gęste sito. Wylać na kurczaka i posypać żurawinami. Przybrać kostkami pomidorów i kilkoma listkami estragonu. Wyłożyć terrine na półmisek i wstawić do lodówki, aby podawać zimne. Lepiej przygotować dzień przed podaniem.

Potrawka mięsno-drobiowa

Dla 8 osób.
Składniki: 1 kurczak (ok. 1,5 kg), 400 g cielęciny, 1 kg królika, 200 g szynki bez tłuszczu, kości cielęce, tymianek, listek laurowy, żurawina, sól, pieprz i ocet winny.

Pokroić szynkę, kurczaka, królika i cielęcinę na kawałki. Wymieszać, włożyć do kamionki. Lekko posolić, dodać pieprz, tymianek, listek laurowy i pięć żurawin. Zalać wszystko mieszanką wody z octem (2 objętości wody na 1 objętość octu). Dodać kości cielęce, by uzyskać dobrą żelatynę. Przykryć kamionkę i włożyć do piekarnika nagrzanego do 200°C na 3 godziny. Spożywać na zimno.

Królik w musztardzie

Nasmarować musztardą comber z królika, poprószyć tymiankiem w proszku i zawinąć w folię. Włożyć do gorącego piekarnika i piec 1 godzinę, następnie wyjąć go z folii.

Dokładnie wymieszać 1 łyżkę stołową oleju parafinowego z połową chudego jogurtu, aby otrzymać jednolitą konsystencję, posolić i popieprzyć. Zalać tym sosem królika, dobrze rozprowadzając wyschniętą podczas pieczenia musztardę.

Podawać z plasterkami korniszonów, podgrzawszy wszystko przez kilka chwil w piekarniku.

Ryby

Sola na parze

Wziąć sprawioną solę średniej wielkości. Opłukać i starannie wysuszyć. Umieścić między dwoma talerzami i postawić na rondlu wypełnionym w trzech czwartych gotującą się wodą.

Po kwadransie sola jest dobrze ugotowana. Dodać cytrynę, sól, pieprz i zieloną pietruszkę.

Dorsz w białym sosie

Ugotować rybę w bulionie. Podawać z białym sosem i posiekaną pietruszką (zob. sosy).

Dorsz w muszli

Na zimno: dodać majonez do resztek dorsza lub czarniaka i podać wszystko w pustej muszli świętego Jakuba. Udekorować jajami na twardo w ćwiartkach.

Na ciepło: resztki ryby przyprawić białym sosem i posiekaną pietruszką, razem podgrzać.

Jako błyskawiczny posiłek: resztki ryby mogą być podane po prostu z sosem vinaigrette.

Dorada po królewsku

Dokładnie oskrobać z łusek dużą doradę, dobrze oczyścić 1 l muli. Umyć doradę, umieścić w żaroodpornym naczyniu i obłożyć plasterkami z jednej cebuli.

Osobno podgrzać mule na patelni, aż się otworzą i puszczą sok. Dorzucić trochę cytryny do soku z muli, przepuścić przez drobne sitko i polać tym doradę. Posypać rybę pieprzem i wstawić do piekarnika. Piec około 45 minut. Dodać mule bez skorupek, posolić i podgrzać, obficie podlewając.

Dorada z grilla

Wybrać małą doradę, sprawić, umyć, dokładnie osuszyć. Upiec na grillu lub w piekarniku, wypełniwszy ją uprzednio farszem ze świeżych ziół, estragonu i poszatkowanej cebuli. Posypać pieprzem.

Dorada jest upieczona, kiedy skóra jest złocista (mniej więcej po 45 minutach). Pod koniec pieczenia posolić.

Łosoś w folii

Wybrać duże dzwonko łososia. Położyć na kawałku folii. Posypać koperkiem, skropić cytryną, posolić i popieprzyć. Dodać dla smaku plasterki cebuli i pokrojony por, które wyjmiemy po upieczeniu. Zawinąć folię i włożyć łososia do gorącego piekarnika na 10 minut lub trochę krócej – zależnie od upodobania, tak aby zachował miękkość i soczystość.

Łosoś pieczony z jednej strony

Wybrać duże dzwonko ze skórą. Włożyć do piekarnika na blasze wyłożonej folią, skórą do góry, posypawszy go uprzednio obficie solą, na najwyższą półkę, tuż pod grillem. Piec, aż sól się rozpuści, a skóra zbrązowieje i popęka. Gdy część dzwonka od strony skóry jest upieczona, ma zbitą konsystencję i pomarańczowy, łososiowy kolor, druga część jest surowa, ledwo ciepła, różowa i miękka. Wyjąć dzwonko, zeskrobać sól, przewrócić skórą do dołu i podawać.

Ryba jest dobrze przygotowana, jeśli ma łososiowy kolor, jest gorąca i soczysta od strony skóry oraz ciepława i różowa na wierzchu.

Łosoś surowy marynowany

Zostawić na noc spory płat lub najlepiej pół łososia w marynacie z cytryny, koperku, świeżych ziół, soli i zielonego pieprzu. Pokroić w cienkie plasterki i podawać udekorowany koperkiem.

Łosoś surowy po japońsku

Jest to najpraktyczniejszy i najszybszy sposób przygotowania ryby. Płat łososia pokroić w poprzek, w cienkie plasterki. Ułożyć na talerzu. Polać sosem sojowym, rozsuwając plastry, aby sos dobrze przeniknął. Podawać natychmiast.

Pasztet z miętusa

Przygotować dwa dni przed podaniem.
Składniki: 1 kg sprawionego miętusa, 8 jaj, 1 łyżeczka soli, pieprz, 1 puszka koncentratu pomidorowego (140 g), kostka rosołowa, 2 l wody i 1 szklanka octu winnego.

Dwa dni wcześniej: zagotować wodę z kostką rosołową i przed włożeniem do niej ryby wlać ocet. Po ugotowaniu rybę lekko ostudzić i wyjąć ości. Z każdej strony zdjąć część filetów, resztę ryby rozdrobnić na średnie kawałki. Zostawić na całą noc w chłodnym miejscu do odsączenia.

Dzień przed podaniem: ubić jaja mikserem, posolić i popieprzyć. Dodać puszkę koncentratu pomidorowego, zmiksować. W salaterce wymieszać z rozdrobnionym miętusem (z wyjątkiem odłożonych kawałków filetów). Formę do keksa o długości 26 cm posmarować oliwą i oprószyć mąką, włożyć do niej połowę masy. Położyć filety i przykryć resztą masy. Podgrzać piekarnik do 160°C. Piec 45–60 minut w 180°C (w naczyniu do gotowania na parze, jeśli piekarnik jest bez termoobiegu). Ostudzić i wstawić na noc do lodówki.

Mule po marynarsku

Mule muszą być bardzo świeże, ciężkie i średniej wielkości, bardzo dokładnie oczyszczone i kilkakrotnie opłukane.

Tak przygotowane wrzucić do rondla, wlać szklankę wody i dwie łyżki octu, dodać cebulę w plastrach, posiekaną zieloną pietruszkę, tymianek i listek laurowy, odrobinę czosnku oraz pieprz.

Postawić rondel na dużym ogniu, podgrzewać, aż mule się otworzą – są wówczas ugotowane. Wyłożyć je na półmisek razem z sosem i dosolić.

Mule w kokilkach

Składniki: 3 jaja, 2 l muli, białe wytrawne wino do gotowania, zielona pietruszka, sól, pieprz, 1 łyżka stołowa białego chudego serka.

Otworzyć mule w rondlu z białym winem na ostrym ogniu. Kiedy są gotowe, odcedzone i jeszcze ciepłe, wymieszać z łyżką stołową białego serka, zieloną pietruszką, solą i pieprzem. Włożyć do kokilek i wstawić do lekko nagrzanego piekarnika.

Krab faszerowany

Wybrać ciężkiego, żyjącego kraba. Zanurzyć we wrzącym bulionie i gotować około 20 minut, zależnie od wielkości. Otworzyć i wyjąć to, co jadalne.

Ubić majonez (zob. sosy) i wymieszać z kawałkami kraba. Podawać w muszlach świętego Jakuba, udekorowane plasterkami jaja na twardo. Można udekorować plasterkami pomidora i podać na liściu sałaty, co również będzie można zjeść wraz z wprowadzeniem warzyw w fazie Protal II.

Pasztet z kraba

Przygotować dzień przed podaniem.

Składniki: 2 puszki kraba (165 g), 4 jaja, 5 żurawin, 2 łyżki stołowe chudego mleka i 300 g białego chudego serka homogenizowanego, pieprz.

Odcedzić kraby, wyjąć chrząstki. Zmiksować jaja z serkiem, mlekiem, żurawinami i pieprzem, dobrze wymieszać masę z krabem. Formę posmarować oliwą za pomocą ręcznika papierowego i wlać do niej całą masę. Podgrzać piekarnik do 160°C i piec 60–90 minut w piecu z termoobiegiem lub włożyć do naczynia do gotowania na parze.

Zapiekane muszle świętego Jakuba (przegrzebki)

Składniki: 4 przegrzebki, 0,5 l muli, 100 g krewetek, 2 jaja, szalotka, zielona pietruszka, sól i pieprz.

Otworzyć przegrzebki, podgrzewając je na silnym ogniu, i wyjąć z muszli. Wyrzucić czarną część i obróżkę, zostawić to, co białe, oraz różowy koral. Dobrze umyć, aby wypłukać piasek, i gotować kwadrans w 1 l wody z dodatkiem 3 łyżek stołowych octu.

W międzyczasie otworzyć mule na ostrym ogniu, ugotować 2 jaja na twardo, posiekać szalotkę i zieloną pietruszkę, rozgnieść jaja, dorzucając obrane mule i krewetki.

Pokroić mięso przegrzebków w duże kostki i dodać do masy. Pokropić sokiem puszczonym przez mule, aby uzyskać jedwabistą konsystencję. Posolić i popieprzyć, a następnie wypełnić masą dobrze umyte muszle przegrzebków. Włożyć nafaszerowane muszle do piekarnika na 20 minut, dekorując je koralem.

Langustynki z majonezem

Dokładnie umyć 0,5 kg langustynek. Wrzucić do gotującego się bulionu. Ostudzić w wywarze. Podawać z majonezem (zob. sosy).

Półmisek owoców morza

Ostrygi najlepiej serwować z cytryną lub z octem z posiekaną szalotką.

Przygotować piękny półmisek, układając na warstwie lodu i morszczynu mule, małże, krewetki.

Jaja

Jaja są często bardzo pomocne w fazie uderzeniowej, dobrze zatem mieć w lodówce w zapasie kilka ugotowanych jaj na twardo.

Jajko na miękko

Potrzebujemy trzech minut, aby ugotować jajko na miękko, czterech minut – na półmiękko.

Jajecznica

Wlać trochę mleka do małego rondelka. Ubić trzy jaja jak na omlet. Posolić, popieprzyć i wlać do rondelka z mlekiem, roztrzepując nieustannie w czasie gotowania. Jajecznica nie powinna być zbyt ścięta. Smakosze uwielbiający aksamitnie puszysty smak przygotowują sobie jajecznicę w naczyniu do gotowania na parze.

Można ulepszyć to danie, dodając kilka krewetek w kawałkach lub cieniutkie plasterki wątróbek drobiowych, a po wprowadzeniu warzyw w fazie Protal II koniuszki szparagów. W świąteczne dni to skromne danie zasługuje na pokruszoną truflę lub łyżkę kawioru.

Jaja faszerowane krewetkami

Ugotować jaja na twardo i ostudzić. Przekroić każde jajo na pół, wyjąć żółtka i rozgnieść je z cienko posiekanymi krewetkami. Dodać trochę majonezu i udekorować pozostałymi krewetkami.

Flan z jajek

Składniki: 5 jaj, 375 ml gorącego chudego mleka, 1 laska wanilii, 10 ml wanilii w płynie, gałka muszkatołowa w proszku i gałka muszkatołowa do starcia.

Roztrzepać jaja w dużej salaterce. Podgrzać mleko, nie doprowadzając do wrzenia, z przeciętą na pół laską wanilii. Wyjąć wanilię i ostrożnie wlać gorące mleko do jaj, dodać 10 ml wanilii w płynie i 2 łyżeczki gałki muszkatołowej w proszku. Wlać do dużej formy lub małych foremek. Zetrzeć nad nimi na tarce gałkę muszkatołową.

Wstawić do piekarnika (160°C) w naczyniu do gotowania na parze. W przypadku piekarnika z termoobiegiem naczynie to nie jest konieczne. Czas pieczenia zależy od piekarnika.

Pływająca wyspa

Rozbić 4 jaja, oddzielić białka od żółtek, w salaterce ubić na sztywno pianę z białek.

Zagotować 0,5 l chudego mleka z laską wanilii. Łyżką wazową nabierać kulki z piany i wrzucać je delikatnie na gorące mleko. Gdy kule dobrze napęcznieją, przewrócić je, wyjąć łyżką durszlakową i odłożyć na półmisek.

Ubić żółtka i wlać do nich mleko, ponownie postawić na łagodnym ogniu, nie przestając mieszać. Kiedy krem zaczyna gęstnieć, szybko zdjąć z ognia i osłodzić aspartamem w pudrze. Położyć delikatnie śnieżne wysepki na kremie. Podawać schłodzone.

Kurze mleko

Rozprowadzić w miseczce jedno żółtko z odrobiną aspartamu i małą łyżeczką olejku pomarańczowego. Równomiernie ubić. Dodać dużą szklankę chudego gorącego mleka, mieszając powoli, aby żółtko się nie ścięło.

Auszpik z jaja w szynce, czyli jajo w galarecie

Przygotować jaja na półmiękko (gotowane 4 minuty) i tyle samo połówek plasterków chudej szynki.

Namoczyć płatki żelatyny w zimnej wodzie na 1–2 minuty i wycisnąć w dłoni, następnie podgrzać do rozpuszczenia, dodając soli i pieprzu oraz JEDNĄ kroplę koniaku.

Owinąć jeszcze ciepłe jajo w połówkę plasterka szynki, włożyć do foremki, zalać żelatyną i schłodzić.

Przepisy na okres diety o równomiernym rytmie: proteiny + warzywa

Przepisy na potrawy z warzyw

Kalafior

Wybrać kalafior w bardzo białym kolorze i podzielić go na duże ró-życzki. Umyć dokładnie i ugotować w dużym garnku osolonej wody. Przygotować biały sos (zob. sosy) i polać nim dobrze odcedzony kalafior. Podawać z jajami na twardo pokrojonymi na połówki.

Suflet z kalafiora

Ugotować kalafior według przepisu powyżej i dokładnie odcedzić. Przygotować biały sos (zob. sosy), dodając dodatkowe 2 żółtka.

Osobno ubić pianę z 2 białek i dodać ją powoli do sosu. Włożyć kawałki kalafiora do formy na suflet, zalać sosem i całość włożyć do piekarnika na 20 minut.

Potrawka z pieczarek

Na nieprzywierającej patelni ułożyć warstwę pokrojonej cebuli i gotować ją do miękkości w rozpuszczonej w małej ilości wody kostce rosołu z kury aż do prawie całkowitego odparowania wody.

Dodać pieczarki pokrojone na grube plasterki i podgotować bez przykrycia. Dodać czosnek, zieloną pietruszkę, sól, pieprz i podawać na gorąco do mięs i drobiu.

Pieczarki faszerowane

Wybrać duże grzyby. Umyć i odciąć nóżki. Posiekać nóżki z czosnkiem i zieloną pietruszką, posolić, popieprzyć i dodać kilka łyżeczek chudego mleka. Upiec ten farsz w bardzo gorącym piekarniku lub na teflonowej patelni.

Wypełnić farszem kapelusze i wstawić je do gorącego piekarnika. Po upieczeniu dodać do każdego kapelusza kilka kropli oleju parafinowego.

Szpinak w białym sosie

Umyć dokładnie liście szpinaku i gotować przez 10–15 minut w dużej ilości osolonej, wrzącej wody. Odlać i odsączyć, przyciskając łyżką durszlakową. Dodać biały sos (zob. sosy) i wstawić do piekarnika. Podawać z połówkami jaj na twardo lub do mięs i drobiu.

Fenkuł

Fenkuł to warzywo o oryginalnym, anyżkowym smaku i dużej wartości odżywczej, bowiem bogaty jest w antyutleniacze o działaniu ochronnym. Można go przygotować jako sałatkę, pokroić surowy w poprzeczne talarki i wymieszać w salaterce z dietetycznym sosem vinaigrette.

Może być również ugotowany, lecz trzeba go dosyć długo gotować, bowiem ma bardzo twarde włókna. Wtedy jest lepszy z sokiem z cytryny, zieloną pietruszką, podany w temperaturze pokojowej lub lekko ciepły.

Zielona fasolka

Zielona fasolka zajmuje zdecydowanie pierwsze miejsce wśród pokarmów gwarantujących zachowanie linii. Zawiera niewiele kalorii, jest bogata w pektynę aktywnie uczestniczącą w wywoływaniu uczucia sytości. Jednak często lekceważy się ją, ponieważ zwykle doradzany sposób gotowania na parze, przyćmiony kolor i naturalnie mdły smak wywołują mało entuzjazmu.

Pamiętajmy, żeby do sałatki z fasolki dodać, oprócz sosu vinaigrette, posiekaną cebulę i pietruszkę i wymieszać ją z bardziej kolorowymi warzywami, jak pomidor czy surowa papryka.

Jest doskonałym dodatkiem do mięsa lub drobiu, można podać ją z białym sosem lub do eskalopka w sosie.

Pomidory *à la* mozzarella z bazylią

Twarożek niezawierający tłuszczu wyjąć z pudełka i zostawić na pół dnia na siteczku do odsączenia, żeby stwardniał i skrzepł. Kiedy stwardnieje, jego konsystencja jest podobna do włoskiej mozzarelli lub greckiej fety.

Przygotować duży talerz pomidorów pokrojonych w plastry. Pokroić w plasterki stwardniały twarożek i ułożyć na pomidorach udekorować liściem bazylii, dodać sól, pieprz i vinaigrette.

Sałatka z cykorii

Cykoria jest doskonała dla kobiet na diecie, którym brak czasu na gotowanie w południe. Mogą wykorzystać to mało kaloryczne warzywo, czyste i łatwe w transporcie. Ponadto cykoria ma lekko gorzkawy smak oraz orzeźwiającą i chrupką konsystencję.

Z powodu tak licznych zalet można – tylko w tym konkretnym przypadku – przygotować sos odbiegający od naszych zasad i wyjątkowo tolerujący obecność obcego ciała w najwyższym stopniu niebezpiecznego dla diety: sera roquefort.

Sos przygotowuje się, mieszając biały chudy serek homogenizowany z porcją sera roquefort wielkości małego orzecha, wybraną w najbardziej marmurkowej i najciemniejszej części pleśni, i łyżką octu winnego. Dla spokoju sumienia dodam, że tak mała porcyjka sera nie zawiera więcej tłuszczu niż czarna oliwka. „Paryż wart jest mszy", mówił Henryk IV, a wyborna sałatka z cykorii pokrytej turkusowym śniegiem sera roquefort warta jest czarnej oliwki.

Ogórki na ciepło lub na zimno

Na ciepło: obrać, umyć i pokroić ogórki. Gotować 10 minut we wrzącej wodzie z dodatkiem połowy szklanki octu i szczyptą soli. Odcedzić na sitku i podawać z białym sosem (zob. sosy).

Na zimno: odstawić w sitku na godzinę pokrojone w plasterki ogórki, aby puściły sok. Podawać z sosem vinaigrette i kilkoma plasterkami cebuli.

Duszone cykorie

Umyć i ugotować cykorie na parze. Przygotować wywar do sosu z jednej kostki chudego rosołu rozpuszczonego w odrobinie wody. Na tym wywarze zeszklić na patelni teflonowej kilka plasterków cebuli i poddusić w nim cykorie. Podawać ciepłe z sosem z patelni. Doskonałe jako dodatek do białych mięs, np. cielęciny lub indyka.

Zapiekane cykorie

Cykorie umyć i ugotować na parze. Posolić, odcedzić i ciasno ułożyć w naczyniu żaroodpornym wypełnionym białym sosem (zob. sosy). Ubić jedno jajko i pokryć nim ułożone cykorie. Włożyć do piekarnika i zarumienić.

Szparagi w sosie muślinowym

Przygotować duże, twarde szparagi. Oskrobać je, ściągając wszystkie nitki. Gotować 20–25 minut.

Przygotować dietetyczny majonez. Ubić pianę z jednego białka i połączyć ją z majonezem, nadal ubijając. Po otrzymaniu jednolitej masy, dodać trochę octu malinowego, by rozrzedzić sos. Szparagi podawać ciepłe, pokryte muślinowym sosem.

Zupa cud

To zupa wychodząca poza spektrum proponowanych przepisów, wykorzystująca aktualne prace naukowe, które udowadniają wyszczuplające działanie zup z całymi kawałkami warzyw (niezmiksowanych). Więcej szczegółów na ten temat oraz o specyficznym działaniu tego rodzaju zup na kontrolowanie wagi znajdzie czytelnik w mojej książce *Dictionnaire de diététique et de nutrition*.

Co zawiera taka zupa? Przygotowuje się ją z następujących składników: 4 ząbki czosnku, 6 dużych cebul, 1 lub 2 puszki pomidorów bez skórki, 1 duża główka kapusty, 2 zielone papryki, 1 seler, 3 litry wody, 3 kostki chudego rosołu wołowego i 3 kostki chudego rosołu z kury.

Warzywa obrać i pokroić w małe lub średnie kawałki. Włożyć do garnka, dodać kostki rosołowe, zalać wodą. Gotować we wrzącej wodzie przez 10 minut, zmniejszyć ogień i gotować do miękkości.

Zupa ta jest niezwykle sycąca, a obecność pływających w niej niezmiksowanych kawałków warzyw wyjaśnia jej wyszczuplające działanie. Jednoczesna obecność w jednym daniu elementów płynnych i stałych powoduje, że przechodzą one z nierówną szybkością przez przewód pokarmowy.

Kawałki, zatrzymane w żołądku aż do zupełnego ich rozłożenia, rozciągają go i wywołują uczucie sytości w sposób mechaniczny. Płynny bulion przechodzi dużo szybciej przez żołądek i szybciej znajduje się w jelicie cienkim, gdzie zawarte w nim substancje odżywcze stymulują receptory ścianek jelita i powodują sytość chemiczną. Mechaniczne wywołanie sytości poprzez rozciągnięcie żołądka, w połączeniu z sytością metaboliczną, wywołaną w jelicie cienkim, szybko i długotrwale ograniczają uczucie głodu.

Tę zupę szczególnie polecam osobom, które wracają do domu po pracy zgłodniałe z powodu niewystarczającego posiłku lub ominięcia go i nie mogą powstrzymać się przed schrupaniem jakiegoś „łotrowskiego pokarmu", równie gratyfikującego, co bogatego w kalorie i szkodliwego dla ich diety. Talerz ciepłej zupy uspokoi głód i pozwoli grzecznie doczekać obiadu.

Zupa z dyni

Obrać ćwiartkę dyni ze skóry i pokroić na kawałki.
Włożyć do szybkowaru, zalać wodą i dodać kostkę chudego bulionu. Gotować 20–30 minut. Pod koniec gotowania posolić, dodać pieprz i 100 g białego homogenizowanego serka. Zmiksować z grubsza, aby czuło się rozpływające w ustach resztki kawałków dyni.

Gęsta zupa z cukinii

Obrać, umyć i pokroić na grube kawałki 4 duże cukinie, 1 cebulę, 1 marchewkę i 1 brukiew. Włożyć wszystko do szybkowaru wraz z kostką chudego rosołu i zalać wodą. Gotować 20–30 minut i dobrze zmiksować na jednolity, jedwabiście gęsty płyn. Spożywać bardzo gorącą.

Sałatka królów morza
(wędzony łosoś, krewetki, krab, surimi, ośmiornica, wędzony łupacz, ikra z łososia i z lumpy)

Pokroić na kawałki dużą zieloną sałatę i dorzucać do niej kolejno: pokrojonego w paski wędzonego łososia, garść obranych krewetek, okruchy kraba, dwie pałeczki surimi w kawałeczkach, kawałki ośmiornicy i kawałki wędzonego łupacza. Doprawić solą, pieprzem, dietetycznym sosem vinaigrette, udekorować różowym kawiorem z łososia i czarną ikrą ryby *à la* kawior.

Sałatka wieloskładnikowa

Pokroić dużą zieloną sałatę, dodać 2 duże pokrojone na kawałki pomidory i następnie kolejno dodawać 1 jajo na twardo w ćwiartkach, pierś z kurczaka w kawałeczkach, posiekany plaster chudej szynki bez tłuszczu. Polać dietetycznym sosem vinaigrette.

Przepisy na potrawy z warzyw i mięs

Cielęcina z cykorią

Dno rondla wyłożyć warstwą cebuli i podlać ją kostką drobiowego bulionu rozpuszczonego w odrobinie wody, podgotować cebulę do zmiękczenia na wolnym ogniu. Położyć na cebuli eskalopek, kotlet lub jakikolwiek inny chudy kawałek cielęciny i doprowadzić do złotego koloru. Dodać cykorię uprzednio dobrze sparzoną przez kilka minut we wrzącej wodzie. Posolić, doprawić pieprzem i dusić na wolnym ogniu ponad godzinę. Podawać gorące, a resztki odłożone do lodówki można zjeść później odgrzane lub na zimno z musztardą.

Kurczak z cykorią

Przygotować jak powyżej, zastępując cielęcinę kawałkiem kurczaka lub wątróbkami z drobiu. Po ugotowaniu rozgnieść wątróbki widelcem w sosie z gotowania.

Cielęcy eskalopek z pieczarkami

Dno teflonowej patelni wyłożyć warstwą pieczarek i podlać je kostką drobiowego bulionu rozpuszczonego w odrobinie wody, podgotować do zmiękczenia na wolnym ogniu. Położyć na pieczarkach eskalopek i doprowadzić go do złotego koloru. Poddusić pod przykryciem przez kwadrans. Kiedy pieczarki wypuszczą cały sos, odparować bez pokrywki na ostrym ogniu.

Królik w cebuli i pomidorach

Włożyć do rondla warstwę pokrojonej cebuli podlaną kostką rosołu z kury rozpuszczoną w małej ilości wody. Kawałki królika położyć na wierzchu. Dodać pomidory pokrojone w ćwiartki, ząbek czosnku, sól, pieprz i tak udusić. Podawać posypane zieloną, posiekaną pietruszką.

Faszerowana głowa kapusty

Zblanszować we wrzącej wodzie dużą główkę kapusty, odcedzić. Dobrze wykroić głąb i twarde części, tak aby móc włożyć farsz.

Przygotować farsz z 300 g mielonej wołowiny, cebuli, zielonej pietruszki, z dodatkiem soli i pieprzu. Podsmażyć na nieprzywierającej patelni, dodać 2–3 łyżki przecieru pomidorowego. Wypełnić głowę kapusty farszem, zamykając kilkoma dużymi liśćmi. Dobrze owiązać nitką kuchenną. Podsmażyć w rondlu, często przekręcając, zmniejszyć ogień i dusić pod przykryciem.

Kurczak Marengo

Podgotować na małym ogniu w teflonowej patelni cebulę ułożoną na dnie, podlaną kostką rosołu z drobiu rozpuszczoną w małej ilości wody. Dodać kilka pokrojonych w kawałki pomidorów, tymianek, pieprz, sól.

Ułożyć na tym miękkim, wonnym dywaniku kawałki kurczaka, podlać połową szklanki wody i dusić pod przykryciem. Pół godziny przed końcem dodać dobrze umyte, pokrojone na kawałki pieczarki. Odparować na ostrym ogniu.

Cykoria z szynką

Cykorię umyć i ugotować na parze. Owinąć każdą cykorię w plaster szynki bez tłuszczyku. Przygotować dietetyczny sos beszamelowy (zob. sosy) z chudego mleka, mąki kukurydzianej, kostki bulionowej itp. Ułożyć cykorie ciasno w rzędzie w naczyniu do zapiekania. Dokładnie polać sosem beszamelowym. Wstawić do gorącego piekarnika i zapiec na złoto.

Tygodniowy jadłospis
w fazie uderzenia czystymi proteinami

Śniadanie

Na cały tydzień

Kawa lub herbata z aspartamem
+ do wyboru: 1 lub 2 chude jogurty albo 200 g białego serka homogenizowanego
+ do wyboru: 1 plaster szynki z indyka, kurczaka lub wieprzowej bez tłuszczu albo jajko na miękko, albo flan z jajek, albo placek z otrąb owsianych

Między godz. 10 i 11, w razie potrzeby
1 jogurt lub 100 g białego serka

Około godz. 16, w razie potrzeby
1 jogurt lub plaster szynki z indyka albo jedno i drugie

Obiad	Kolacja
Poniedziałek	
jajo na twardo w majonezie	garść krewetek z majonezem
stek tatarski	suflet z kurczaka
2 jogurty lub 200 g białego serka	flan z jajek lub 1 jogurt

Wtorek

sałatka z wołowiny z vinaigrette
surowy łosoś po japońsku

2 jogurty lub 200 g białego serka
krab faszerowany
potrawka z cielęciny
flan z jajek lub 1 jogurt

Środa

talerz surimi
udko z kurczaka
flan z jajek lub placek
  z otrąb owsianych

wątróbki z drobiu sauté
królik w musztardzie
pływająca wyspa lub 200 g
  białego serka

Czwartek

plaster wędzonego łososia
kotlet cielęcy z patelni
krem kawowy lub 200 g
  białego serka

łosoś w marynacie
mule po marynarsku
flan z jajek lub 1 jogurt

Piątek

4 plastry szynki z osła
pół pieczonego kurczaka
2 jogurty lub 200 g białego serka

auszpik z jajem i szynką
krab w majonezie
pływająca wyspa lub 2 jogurty

Sobota

jajo faszerowane krewetkami
plaster miecznika z patelni
flan z jajek lub placek z otrąb
łosoś marynowany

ozór wołowy w sosie ravigote
krem kawowy lub 200 g białego serka

Niedziela

krab faszerowany
potrawka z cielęciny
pływająca wyspa

sałatka z wołowiny z vinaigrette
łosoś smażony z jednej strony
krem kawowy lub flan z jajek

Tygodniowy jadłospis w fazie naprzemiennej diety proteinowej: czyste proteiny + warzywa

Obiad	Kolacja

Poniedziałek

jajo faszerowane krewetkami	łosoś w marynacie
plaster miecznika z patelni	ozór wołowy w sosie ravigote
flan z jajek lub placek z otrąb owsianych	krem kawowy lub 200 g białego serka

Wtorek

sałatka z cykorii, krewetek i surimi	1 plaster wędzonego łososia
wątróbka cielęca z patelni ze szpinakiem	faszerowane pomidory
2 jogurty lub 200 g białego serka	flan z jajek lub 1 jogurt

Środa

auszpik z jajem i szynką	pomidory *à la* mozzarella z bazylią
sałatka z wątróbek z drobiu	dorada po królewsku i purée z marchwi
flan z jajek lub placek z otrąb owsianych	pływająca wyspa lub 200 g białego serka

Czwartek

sałatka z tuńczykiem

jajecznica z krewetkami

krem kawowy lub 200 g
  białego serka

zupa z cukinii i marchwi

kurczak w estragonie

flan z jajek lub 1 jogurt

Piątek

4 plastry szynki z osła

cykoria z szynką w beszamelu

2 jogurty lub 200 g białego serka

sałatka z pieczarek i szpinaku

łosoś ze szpinakiem

pływająca wyspa lub 2 jogurty

Sobota

plaster terrine z drobiu

sałatka króla mórz

flan z jajek lub placek z otrąb

krab faszerowany

plaster miecznika z patelni i fenkuł
  na parze

krem kawowy lub 200 g
  białego serka

Niedziela

sałatka z wołowiny z vinaigrette

faszerowana głowa kapusty

pływająca wyspa

pomidory *à la* mozzarella
  z bazylią

pasztet z miętusa

krem kawowy lub flan z jajek

Śniadania o godz. 10–11 i przekąski o godz. 16 pozostają takie same jak w fazie uderzeniowej.

Poważna otyłość.
Dodatkowe środki zaradcze

Protal adresowany jest do wszystkich, którym trudny do zrzucenia nadmiar wagi zakłóca spokój. To populacja różnorodna, grupująca bardzo różne przypadki, możemy jednak wyróżnić trzy podstawowe kategorie nadwagi.

Od zwykłej nadwagi do poważnej otyłości

Otyłość przypadkowa

Chodzi tu o osoby pozbawione jakiejkolwiek skłonności do tycia, których waga zawsze była stała i utrzymywała się w normie, lecz z dokładnie zidentyfikowanego powodu zaczęły tyć. Większość tych przypadkowych otyłości związana jest z nagłym ograniczeniem aktywności fizycznej.

Tak jest w przypadku kobiety po ciąży, zazwyczaj pierwszej, gdy zupełnie naturalna euforia związana z tym stanem połączona z ograniczeniem aktywności doprowadziły do wyjątkowego przybrania na wadze. Jeszcze częściej dzieje się tak w przypadku ciąży trudnej, z którą wiąże się konieczność leżenia w łóżku lub, co gorsze, w przypadku ciąży wspomaganej hormonalnie (zapłodnienie *in vitro* i leczenie niepłodności).

Dotyczy to także osób unieruchomionych po wypadku, które jedzą z nudów.

Do tej kategorii można również zaliczyć chorych na reumatyzm lub astmę, a także leczonych kortyzonem – jego wpływ na przybieranie masy ciała jest dobrze znany.

Otyłość wynikająca ze skłonności do nadwagi

Myślę o mężczyznach i kobietach ze szczególną tendencją do odkładania tkanki tłuszczowej i tycia. Czy jest to „znamię od urodzenia", czy tendencja nabyta wskutek złego odżywiania we wczesnym dzieciństwie, rezultat jest ten sam: ci mężczyźni i te kobiety mają skłonność do tycia i zawsze wyciągną nadmierną liczbę kalorii z pożywienia. Jednak skłonność ta bardzo się różni zależnie od przypadku.

Najczęściej, u 90% osób otyłych, jest umiarkowana i zysk kaloryczny, mimo że wygórowany, można kontrolować.

Niektórym jednostkom z tej kategorii, obdarzonym wystarczająco silną wolą i motywacją, udaje się dzięki aktywnemu trybowi życia i dobrze dobranej diecie wyhamować, a nawet opanować przybieranie na wadze. Właśnie im Protal przyniesie prawdziwą ochronę, uwalniając na zawsze od usprawiedliwionego strachu. Ponadto Protal pomoże im przebrnąć przez krytyczne momenty nie do uniknięcia w życiu, kiedy same dobre chęci nie wystarczą.

Inni, dotknięci skłonnością o podobnej intensywności, lecz prowadzący siedzący tryb życia lub absolutnie niezdolni do jakiejkolwiek kontroli swojego odżywiania, ulegają stopniowo postępowi nadwagi.

W ich przypadku zalecenia planu Protal sprawdzają się najlepiej. Zysk kaloryczny wyciągany z pokarmów jest zbyt wysoki, ale połączenie proteinowego czwartku z regularnym spożywaniem otrąb owsianych doskonale neutralizują ten mankament, a ich brak silnej woli czy brak uporządkowania w dziedzinie odżywiania odnajdują w tym niemal bohaterskim dniu wymarzoną okazję do odbycia tanim kosztem pokuty za cały tydzień.

Poważna otyłość

Chodzi tu o poważną skłonność genetyczną, pociągającą za sobą kolosalne przybranie na wadze, deformujące ciało. Otyłość ta jest często spotykana w USA, lecz względnie rzadko w Europie.

U tych otyłych stopień ekstrakcji kalorii z pożywienia osiąga szczyty, wprawiając otoczenie, łącznie z lekarzami, w osłupienie.

Wszyscy specjaliści z dziedziny żywienia mają wśród swoich pacjentów kilka takich ekstremalnych przypadków, które wydają się żywić powietrzem i rzucają wyzwanie elementarnym prawom fizyki.

Znałem pacjentów, którzy ważyli się wieczorem przed snem i znajdowali sposób na przybranie kilkuset gramów tuż po przebudzeniu. Przypadki takie zdarzają się i zbijają z tropu prowadzących je lekarzy, ale na szczęście są rzadkie.

Najczęściej duża otyłość spowodowana jest tendencją do tycia.

To w tej kategorii spotyka się naprawdę otyłych ludzi. Wypróbowali już większość kuracji odchudzających, prawie zawsze udawało im się schudnąć, ale za każdym razem odzyskiwali wagę.

Dla nich ostateczna faza planu Protal stanowi doskonałą podstawę stabilizacji, jednak w szczególnie trudnych przypadkach może się okazać niewystarczająca.

Dlatego w rozdziale im poświęconym zaproponuję kilka dodatkowych działań zmierzających do umocnienia stabilizacji wagi.

Wierny przyjętym od początku zasadom nie będę czerpał z bogatej listy zakazów i restrykcji żywieniowych. To, co zapowiedziałem na początku książki, nadal obowiązuje. Nawet osoby, których organizm najmocniej absorbuje kalorie, muszą mieć możliwość – w trakcie stabilizacji po udanej kuracji odchudzającej – normalnego odżywiania przez sześć dni w tygodniu.

Trzy dodatkowe działania są przeznaczone dla osób z ekstremalną tendencją do tycia, których otyłość jest skrajna, oporna i deformująca. A ponieważ tam, gdzie można więcej, można też i mniej, te trzy zasady mają szansę zainteresować pozostałych i pomóc im.

Pierwszy środek wyjątkowy: wykorzystanie zimna w kontrolowaniu wagi

Technika ta wykorzystuje badania doktora Tomasa w zakresie wpływu termogenezy i spalania kalorii na wytwarzanie ciepła w organizmie.

Zasady teoretyczne

Do tej pory opisywałem osoby ze skłonnością do otyłości jako jednostki czerpiące nadmierny zysk z najmniejszego kęsa pokarmu. Plan stabilizacji kuracji Protal opierał się na dwóch prostych założeniach starających się wyplenić zło u korzeni, to znaczy w chwili i w miejscu ekstrakcji kalorii: w samym środku jelita cienkiego.

Zajmiemy się teraz problemem nadwagi od strony energetycznej i zastanowimy się raczej nad znalezieniem sposobu na zwiększenie wydatku kalorii niż nad zahamowaniem ich przenikania do organizmu.

Wyobraźmy sobie siedemdziesięciokilogramowego mężczyznę o wzroście 1,70 m wykonującego zawód wymagający średniej aktywności fizycznej. Mężczyzna ten w normalnych warunkach spożywa i wykorzystuje średnio 2400 kalorii. Postarajmy się przeanalizować, gdzie i w jaki sposób wykorzystuje te kalorie.

✓ 300 kalorii wymagają codzienne działania organów odpowiedzialnych za funkcje życiowe (praca pompy serca, mózgu, wątroby, nerek itp.). To znikome zużycie jest dowodem na ścisłe przystosowanie naszych organów do przeżycia. Nie tutaj zatem znajdziemy możliwość zwiększenia liczby wykorzystanych kalorii.

✓ 700 kalorii służy zachowaniu naszego życia środowiskowego, to znaczy działalności fizycznej. Oczywiście łatwo to zużycie zwiększyć i przekonamy się, że teoretycznie dzięki aktywności fizycznej można przyspieszyć spalanie kalorii. W praktyce okaże się jednak, jak trudno zmusić otyłego do ruchu i absolutną utopią jest oczekiwanie, że zrobi się z niego sportowca.

✓ 1400 kalorii, to znaczy ponad połowa całego zużycia, służy do utrzymania normalnej temperatury ciała, zbliżonej do 37°C, temperatury niezbędnej do przeżycia. Właśnie tutaj znajdujemy możliwość, którą wykorzystamy do zwiększenia wydatku kalorii.

Wystarczy przyjąć, że zimno jest przyjacielem i sojusznikiem osoby otyłej.

Od ostatnich pojedynków z czasów wojny o ogień człowiek ostatecznie zatriumfował nad zimnem, uwalniając od niego swoje ciało dzięki nieskończonej liczbie zabezpieczeń zewnętrznych (źródła ciepła, ubrania), przesadzając często z ich nadmiernym użyciem. To zupełne nieprzystosowanie ciała do zimna, kiedy jest do tego zmuszone, sprawia, że utrzymanie niezbędnej do przeżycia temperatury ciała staje się niezwykle kosztowne. Właśnie złe przystosowanie do zimna i związany z tym wydatek energetyczny możemy wykorzystać do ułatwienia stabilizacji w przypadku bardzo dużej nadwagi. Z wielu obserwacji wynika, że statystyczny Europejczyk przesadnie chroni się przed zimnem, otyły zaś – otoczony izolującym go tłuszczem – czyni w tym kierunku jeszcze więcej wysiłków.

Proponuję zatem bardzo tęgim technikę polegającą na zmniejszeniu łatwości, z jaką odkładają kalorie, zwiększając ich wydatek energetyczny.

Oto kilka prostych, nieprzymuszających, lecz niezwykle skutecznych rad, jak wykorzystywać zimno do zapewnienia lepszej stabilizacji wagi.

Jeść jak najczęściej zimne dania

Kiedy zjadacie ciepłe danie, pochłaniacie nie tylko zawarte w nim kalorie, ale również ciepło, w którym są dodatkowe kalorie uczestniczące w utrzymaniu temperatury ciała wokół niezbędnych 37°C. A zatem *gorący stek jest bardziej kaloryczny niż stek zimny*, bowiem z chwilą jego połknięcia organizm wstrzymuje spalanie swoich własnych kalorii i wykorzystuje fizyczne ciepło zawarte pokarmie.

I odwrotnie, kiedy spożywacie danie zimne, organizm nie może go wykorzystać i wprowadzić do krwi, nie ogrzawszy uprzednio do wewnętrznej temperatury ciała. Operacja ta jest nie tylko kalorycznie kosztowna, ale powoduje również spowolnienie trawienia i przyswajania, opóźnia więc ponowne pojawienie się głodu.

Oczywiście nie doradzam systematycznego jedzenia zimnych potraw, ale gdy mamy do wyboru danie zimne lub ciepłe, zdecydujmy się raczej na zimne.

Pić zimne napoje

Jedzenie zimnych potraw nie zawsze jest łatwe i przyjemne, ale picie zimnych napojów to tylko kwestia przyzwyczajenia, a większość konsumentów wręcz to lubi.

Aby przekonać opornych, powiem tylko, że ta prosta i często przyjemna czynność może się okazać bardzo korzystna. Kiedy ktoś wypije dwa litry wody o temperaturze 4°C, wcześniej czy później ta woda zamieni się w urynę o temperaturze 37°C. Aby podnieść temperaturę dwóch litrów wody o 33°C, organizm musi spalić 60 kalorii. Jeśli przyzwyczajenie to wejdzie w krew, pozwoli bez najmniejszego wysiłku spalić w ciągu roku około 22 000 kalorii, czyli 2,5 kg rocznie, co jest manną z nieba dla otyłych mających trudności z ustabilizowaniem wagi.

Natomiast szklanka gorącej herbaty osłodzonej dla spokoju sumienia słodzikiem nie przynosi wprawdzie żadnej dodatkowej kalorii, ale dostarcza pewną dawkę ciepła, co odpowiada dodatkowym, ukrytym kaloriom, o czym mało kto pomyślał.

Ssać kostki lodu

Zamierzony skutek jest najbardziej widoczny, gdy używa się lodu zamrożonego w niskiej temperaturze (-10°C). Zalecam moim pacjentkom przygotowanie lodu osłodzonego aspartamem oraz aromatyzowanego wanilią lub miętą i w sprzyjającej porze roku ssanie pięciu lub sześciu kostek dziennie, co spowoduje bezbolesny wydatek 60 kalorii.

Chudnąc, myjąc się

Zróbcie proste doświadczenie polegające na wejściu pod prysznic z termometrem. Puśćcie wodę, doprowadzając ją stopniowo do 25°C. Do czego można porównać tę temperaturę? Do temperatury wody w morzu, o którym latem powiedzielibyśmy, że jest ciepłe.

Przebywanie pod prysznicem w tej temperaturze przez dwie minuty zmusza organizm do zużycia około 100 kalorii na walkę z ochłodzeniem ciała, co odpowiada 3 kilometrom marszu.

Orzeźwiające prysznice będą najskuteczniejsze, gdy strumień wody skierujemy tam, gdzie krew krąży w grubych, gorących tętnicach podskórnych i jest najcieplejsza: pod pachami, w pachwinie, na szyi, klatce piersiowej, co pozwala na skuteczniejszą utratę ciepła. Unikajcie moczenia włosów, ponieważ jest to na dłuższą metę kłopotliwe, i pleców, bo to zbyteczne i nieprzyjemne.

Zmarzluchy mogą korzystać z tego środka utraty kalorii, stosując prysznic na najmniej wrażliwe części ciała: uda, nogi i stopy.

Unikać przegrzanych pomieszczeń

Każdy pragnący schudnąć otyły powinien wiedzieć, że 25°C w mieszkaniu zimą jest temperaturą, która umacnia jego skłonność do tycia.

Obniżenie tej temperatury o 3°C zmusza ciało do spalenia 100 dodatkowych kalorii dziennie, co odpowiada dwudziestominutowemu joggingowi.

Przyjąć zasadę lżejszego okrywania się

To zasada podobna do poprzedniej, lecz możliwa jest ich kombinacja.

Z nadejściem zimy, a czasami już jesienią, częściej z przyzwyczajenia niż z konieczności, wyciągamy z szaf kolekcje swetrów i ciepłych podkoszulków. Nocą wielu spiętrza na sobie kołdry bardziej dla przyjemności czucia się dobrze opatulonym niż z rzeczywistej potrzeby ogrzania się.

Pozbądźcie się z jednej lub dwóch warstw, syntetycznego podkoszulka, swetra lub dodatkowej kołdry, dzięki temu zgubicie dodatkowych 100 kalorii dziennie.

Ludzie z nadwagą powinni ponadto wiedzieć, że w ich przypadku niewskazane jest noszenie zbyt obcisłych ubrań. Ubrane ciało zawsze się trochę poci. Parowanie potu, który chłodzi ciało i zmniejsza jego temperaturę, powinno być ułatwione przez jak najluźniejsze ubrania.

Podsumowanie

Dokonując bilansu energetycznego, wystarczy podsumować wszystkie spalone kalorie, aby zrozumieć znaczenie wykorzystania zimna do ułatwienia procesu stabilizacji.

Wypicie 2 litrów wody o temperaturze 10°C wymaga od organizmu pragnącego uniknąć oziębienia wydatkowania	60 kalorii
Ssanie 6 kwaskowatych kostek lodu	60 kalorii
Dwuminutowy prysznic w temperaturze 25°C	100 kalorii
Obniżenie temperatury pomieszczeń o 3°C	100 kalorii
Pozbycie się podkoszulka, swetra lub kołdry	100 kalorii
Suma	420 kalorii

Tabela ta w prosty i jasny sposób udowadnia skuteczność tych środków działania.

Czytelnik wątpiący w ich prawdziwość musi zrozumieć, że powołuję się na realia fizjologiczne, bardzo logiczne zresztą. Jak można wątpić, że utrzymanie organizmu w tak wysokiej stałej temperaturze 37°C związane jest z określonym kosztem kalorycznym i koszt ten ulega zmianom zależnie od otaczającej temperatury i od kontaktu z zimnem. Każdy z doświadczenia wie, jak szybko wzrastają koszty ogrzewania domu przy złej izolacji drzwi i okien. Nasze ciało funkcjonuje według tej samej zasady – możemy wykorzystać to energetyczne marnotrawstwo, by przełamać przesadnie oszczędną otyłą naturę.

Ochłodzenie nie jest wystarczającą bronią, aby zapewnić otyłemu utratę wagi, ale bardzo pomaga w przypadku trudnej stabilizacji, gdzie czasami wystarczy niewiele, by odwrócić tendencję. Te skromne, ale regularnie usuwane kalorie mogą być uzupełnieniem sukcesu.

Na koniec argument najważniejszy – wszystko, o czym wcześniej pisałem, można łatwo wypróbować. Ci, którzy potrafią jednoznacznie ocenić swoje gabaryty i opór, jaki stawiają utracie wagi, stosują bardzo skrupulatnie zasady planu ostatecznej stabilizacji kuracji Protal i mimo wszystko widzą drgania wskaźnika wagi przed zatrzymaniem się na upragnionej cyfrze, powinni bez wahania poddać się na kilka tygodni metodzie ochładzania. Po upływie tego krótkiego czasu nikt już nie będzie im potrzebny, by podjąć decyzję.

Dla osób z mniej wyraźną skłonnością do tycia wykorzystanie zimna nie jest konieczne. Mogą jednak wykorzystywać tę technikę sporadycznie, w okresach szczególnie niebezpiecznych (wakacje, uroczystości itp.) lub wybrać z niej jeden lub dwa najmniej uciążliwe dla siebie elementy.

Podkreślmy na zakończenie, że stawianie czoła zimnu może być bardzo korzystnym ćwiczeniem woli dla tych, którzy w pewnych obszarach czują się słabi psychicznie i mają ochotę wzmocnić swoją wolę tam, gdzie czują się silniejsi. Stawianie czoła zimnu może pomóc w opanowaniu słabości związanym z żywieniem.

Aby zamknąć ten rozdział, powiem, że ciepło i komfort rozleniwiają, podczas gdy zimno dynamizuje, pobudza do wysiłku fizycznego i intelektualnego oraz wzmacnia funkcjonowanie tarczycy. Znałem wielu ponuraków, którzy zaczęli śpiewać pod trochę chłodniejszym prysznicem.

Drugi środek wyjątkowy:
aktywność fizyczna

Większość teoretyków odchudzania zaleca w celu obniżenia wagi jedzenie wszystkiego po trochu, przy jednoczesnym zwiększeniu zużycia energii poprzez wysiłek fizyczny. Polecenia te wydają się logiczne i rozsądne, ale niepotwierdzone w praktyce. Według statystyk amerykańskiego stowarzyszenia specjalistów od otyłości 12% osób próbujących schudnąć i poddających się kuracji rzeczywiście chudnie, ale tylko 2% z nich udaje się ustabilizować wagę. A doskonale znamy wielkie zainteresowanie sportem i ćwiczeniami fizycznymi w USA.

Żadnego sportu w fazie intensywnego chudnięcia

W fazie uderzeniowej oraz tak długo, jak trwa przyspieszone chudnięcie, odradzam wszelkiego rodzaju sport lub intensywny wysiłek fizyczny pacjentom dotkniętym poważną otyłością.

Powody są trzy:

✓ Konieczny wysiłek woli narzucony przez skuteczną kurację odchudzającą jest ciężką próbą. Podejmując dodatkowy wysiłek, ryzykujemy, że zawali się cała konstrukcja.

✓ Otyły, który chudnie, łatwo się męczy, potrzebuje wypoczynku i regenerującego snu. Dodatkowy wysiłek stwarza ryzyko spotęgowania zmęczenia i stępienia ostrza determinacji.

✓ Każdy otyły, jak sama nazwa wskazuje, jest zbyt ciężki w stosunku do swojej budowy i narzucenie mu wysiłku fizycznego jest po prostu niebezpieczne.

Na koniec należy powiedzieć, że postulat, aby otyły uprawiał sport, nie bierze pod uwagę jego strachu przed publicznym eksponowaniem swego ciała.

Trzy minimalne czynności wzmacniające

O ile aktywność sportowa jest wykluczona w czasie chudnięcia, o tyle ma duże znaczenie w fazie stabilizacji zarówno dla powstrzymania powrotu nadwagi, jak i dla ujędrnienia zwiotczałych mięśni i naciągnięcia zwisającej skóry. Doświadczenie mówi jednak, że jakiekolwiek regularne ćwiczenia fizyczne bardzo trudno wyegzekwować od otyłego, jego awersja do ruchu i wysiłku są po części odpowiedzialne za nadwagę.

Mimo wszystko dla osób bardzo otyłych, które schudły, lecz mają kłopoty ze stabilizacją wagi, Protal wprowadza do podstawowego planu trzy polecenia obowiązkowe dla wszystkich, nawet najbardziej uchylających się przed wysiłkiem fizycznym:

REZYGNACJA Z WINDY. To proste polecenie. Kto chce ustabilizować ostatecznie swoją wagę, musi na zawsze porzucić windę. Wchodzenie i schodzenie po schodach pobudza największe mięśnie organizmu i pozwala spalić w krótkim czasie dużą liczbę kalorii. Poza tym pozwala sercu zasiedziałego mieszczucha regularnie zmieniać rytm, co jest doskonałym ćwiczeniem zapobiegającym zawałowi.

Polecenie to zawiera jeszcze inny głęboki sens. Pozwala przetestować kilka razy dziennie determinację do wykonania planu stabilizacji.

U progu schodów, w jednakowej odległości od pierwszego stopnia i od windy, kandydat do stabilizacji symbolicznie staje wobec wyboru, który pozwala mu zmierzyć siłę jego determinacji.

Chwycenie za poręcz i wspięcie się z entuzjazmem na górę jest wyborem prostym, użytecznym i logicznym, w ten sposób pacjent, posyłając mi porozumiewawcze mrugnięcie, mówi: wierzę w twój plan, odpowiada mi i dobrze służy.

Wejście do windy pod pretekstem spóźnienia lub zbyt ciężkiej siatki z zakupami to początek rozluźnienia, które będzie się powiększać. Gdy wzbraniamy się nawet skromnie zainwestować, plan stabilizacji nie może się udać. Lepiej świadomie wybrać schody.

JAK NAJCZĘSTSZA POZYCJA STOJĄCA. Wszędzie tam, gdzie pozycja siedząca lub leżąca nie są konieczne, należy pamiętać, żeby stać. Aby miało to sens, należy rozłożyć ciężar ciała na obydwie stopy. Unikamy w ten sposób kiwania się w biodrach, które przemieszcza ciężar ciała w jedną stronę i sprawia, że to nie mięśnie, lecz więzadła stawowe utrzymują ciężar, a pasywne naciąganie ich nie zużywa kalorii.

Nie lekceważcie tego nieważnego z pozoru polecenia, pozycja stojąca powoduje bowiem statyczne kurczenie się największych mięśni organizmu: pośladków, czterech wielkich mięśni przedniego uda i jego mięśni tylnych.

Stanie w pozycji wyprostowanej, silne opieranie się na stopach, z miednicą w pozycji horyzontalnej, jest czynnością, która – jeśli wejdzie w nawyk – zużywa wystarczająco dużo energii, aby jej nie lekceważyć.

UŻYTECZNY MARSZ. Marsz jako ćwiczenie higieniczne i zapobiegawcze zużywa wystarczającą liczbę kalorii, aby włączyć go do planu stabilizacji. Niestety, zwykle zabiera trochę czasu, dlatego osoby aktywne zawodowo i zapracowane odrzucają go. Chodzi tu jednak o marsz użyteczny, co jak sama nazwa wskazuje, nie jest czynnością darmową. Wrócić na piechotę, iść po zakupy, udać się pieszo z wizytą do sąsiadów – to wszystko nadaje sens jednej z najbardziej naturalnych ludzkich czynności i z tego powodu łatwiej to zaakceptować.

Zwycięski otyły w trakcie stabilizacji musi nauczyć się korzystać ze swego ciała, które do tej pory słusznie uważał za ciężar niemożliwy do przemieszczenia i ograniczający jego wolność. Odejście od otyłości nie jest magicznym wyborem, to reedukacja, której trzeba pragnąć, zaczynająca się od głowy, praca nad sobą dostarczająca tak dużej satysfakcji, że usprawiedliwia wiele poświęceń. Jeden dzień w tygodniu oparty wyłącznie na proteinach, trzy łyżki stołowe otrąb owsianych, flirtowanie z zimnem, pozycja stojąca, chodzenie pieszo i zapomnienie o windzie to katalog niewielkich poświęceń w porównaniu z odzyskaniem wolności, godności i normalności.

Jeśli mielibyśmy wybierać najważniejszą radę zawartą w tym rozdziale, zalecałbym przede wszystkim rezygnację z używania windy. Zasada punktowa i precyzyjna, pożyteczna, mało kłopotliwa, niezabierająca dużo czasu ani energii, jedyna do zaakceptowania z uwagą „bezwzględnie".

Psychologiczne wzmocnienie stabilizacji:
trzy modyfikacje w zachowaniu żywieniowym

Jeść powoli i dokładnie przeżuwać pokarmy

Z naukowego punktu widzenia zbyt szybkie jedzenie tuczy. Jedna z brytyjskich prac naukowych wzięła pod uwagę dwie grupy kobiet, szczupłych i tęgich, filmując je bez ich wiedzy. Badanie to wykazało, że kobiety o normalnej wadze przeżuwały dwa razy dłużej niż tęgie, szybciej się najadały i miały mniejsze zapotrzebowanie na cukry w następujących po posiłku godzinach.

Istnieją dwa rodzaje sytości: sytość mechaniczna spowodowana wypełnieniem żołądka i prawdziwa sytość, kiedy strawione pokarmy przenikają do krwi i mózgu. Ci, którzy jedzą bardzo szybko, zaspokajając swoją łapczywość, rozpychają tylko żołądki, co umożliwia przyjmowanie wielkich ilości pokarmu i wyjaśnia częstą senność lub wzdęcia po zakończeniu posiłku świadczące o braku umiaru.

I odwrotnie, osoba jedząca wolno i dokładnie przeżuwająca ma czas, by kalorie i składniki odżywcze dotarły do mózgu i wywołały sytość. W połowie posiłku zaczyna się męczyć nad talerzem i odmawia deseru.

Wiem doskonale, że można odwrócić te niedobre przyzwyczajenia. Zdaję sobie również sprawę, do jakiej rozpaczy może doprowadzić dzielenie posiłku z żółwiem przy stole, kiedy samemu połyka się wszystko w rekordowym tempie.

Niezależnie od tego osoba bardzo otyła powinna te zalecenia potraktować poważnie. Musi zrozumieć, że nawet tak proste działanie może jej bardzo pomóc. Musi również wiedzieć, że zmiana szybkości spożywania pokarmów jest dużo łatwiejsza, niż się wydaje. Zwracanie uwagi na tempo jedzenia i kontrolowanie go wymaga tylko kilku dni, później staje się automatyzmem, a z czasem przyzwyczajeniem.

Jako anegdotę opowiem o przypadku jednego z moich pacjentów, kiedyś bardzo otyłego Hindusa, wyleczonego z otyłości i ustabilizowanego przez pewnego guru, który jako jedyne lekarstwo zalecił mu następującą rzecz: „W czasie posiłków odżywiaj się i żuj, jak masz w zwyczaju, ale w momencie, gdy zamierzasz przełknąć, jednym ruchem języka przenieś kęs w stronę ust i zacznij przeżuwać na nowo. W ciągu dwóch lat odzyskasz normalną wagę".

Dużo pić w trakcie jedzenia

Istnieje zakaz o bliżej niezidentyfikowanym pochodzeniu, mocno tkwiący w świadomości zbiorowej, zabraniający tym, którzy chcą schudnąć, pić podczas jedzenia. Przesąd ten jest nie tylko absurdalny i niepotwierdzony, ale wręcz niezgodny z prawdą. W przypadku otyłości picie przy jedzeniu jest bardzo korzystne z trzech powodów:

✓ Woda działa jako ciecz wypełniająca i wraz z pokarmami rozciąga żołądek, dając poczucie napełnienia i sytości.

✓ Popijanie w trakcie jedzenia pozwala na moment przerwać pochłaniane pokarmów stałych. Przerwa ta, połączona z opłukaniem brodawek językowych, zwalnia tempo posiłku, dając czas chemicznym posłańcom sytości na dotarcie poprzez krew do mózgu, aby zaspokoić głód.

✓ Chłodna lub zimna woda obniża ogólną temperaturę pokarmów zawartych w żołądku, które organizm będzie musiał ogrzać przed przeniesieniem do krwi. Zyskujemy czas i tracimy kalorie.

W praktyce, aby w pełni skorzystać z dobrodziejstw picia, powinniśmy wypić dużą szklankę zimnej wody przed posiłkiem, drugą w czasie posiłku i ostatnią tuż przed wstaniem od stołu.

Nigdy nie prosić o dokładkę

W trakcie kuracji utrwalającej wagę, czyli w przejściowej fazie między chudnięciem i stabilizacją, Protal zezwalał na pewną liczbę koniecznych pokarmów i wprowadzał dwa odświętne posiłki opatrzone zaleceniem wynikającym ze zdrowego rozsądku: „żadnej dokładki tego samego dania".

Poważnie otyli, z niepewną stabilizacją, powinni adoptować tę regułę stosowaną przecież spontanicznie przez ustawowych chudzielców.

Nakładajcie sobie obficie, wiedząc, że nie będzie drugiej kolejki, za to będzie wam lepiej smakowało i dłużej będziecie się delektować.

W chwili, gdy pojawi się pokusa, by ponownie podstawić talerz, musicie zdać sobie sprawę, że przekraczacie niebezpieczną granicę. Postawcie z powrotem talerz na stole i pomyślcie o następnym daniu.

Podsumowanie

Cóż prostszego, jak pić w trakcie jedzenia, dokładniej przeżuwać pokarmy, koncentrując się na doznaniach, których dostarczają, i nigdy nie prosić o dokładkę. Proste, a jakże skuteczne, bowiem normy te mają zastosowanie przy stole i w miejscach, gdzie błędne zachowania żywieniowe wyrządzają największe szkody, przyczyniając się do początkowej otyłości. Zaakceptowane korygują stopniowo nieuporządkowane popędy osoby o poważnej otyłości.

W kombinacji z innymi wyjątkowymi działaniami wzmacniającymi, jak zimno i wysiłek fizyczny, przeznaczonymi dla otyłego opornego na wszelką trwałą stabilizację, normy te narzucają dodatkowe polecenia, mało kłopotliwe, a bardzo skuteczne na co dzień.

Człowiek z poważną otyłością musi zdawać sobie sprawę, że nie może mieć nadziei na trwałą stabilizację, jeśli nie poświęci tej części siebie, która zakotwicza go poprzez zachowania i przyzwyczajenia w nieuniknionym niepowodzeniu i braku stałości.

Polecenia te funkcjonują jak znaki nawigacyjne w drodze do stabilizacji. Potwierdzają w każdym momencie znaczenie, wagę i trwałość wielkiego wyzwania: żyć przyjemnie z definitywną możliwością jedzenia jak wszyscy przez sześć dni w tygodniu.

Stosowanie planu Protal
od dzieciństwa do menopauzy

Przewodnią myślą planu Protal jest to, że w dzisiejszym świecie niezwykle trudne stało się utrzymanie normalnej wagi bez zastosowania szczególnej metodologii.

W chwili, gdy piszę te słowa, w biurach i laboratoriach największych koncernów przemysłu spożywczego geniusze marketingu, profesorowie psychologii i eksperci od głębokich motywacji ludzkich zachowań pracują nad wytworzeniem mnóstwa produktów do chrupania o takim bogactwie kształtów i kolorów, tak wyrafinowanych zaletach i sposobach dystrybucji, że oparcie się im to prawdziwe wyzwanie.

W tym samym czasie inni naukowcy i inżynierowie zapamiętale konstruują i propagują wynalazki ograniczające potrzebę ruchu ludzkiego ciała. Od kiedy wynaleziono maszynę parową, automobil, elektryczność, telefon, pralkę, jednorazowe chusteczki i pieluchy, pilota do telewizora czy elektryczną szczoteczkę do zębów wszystkie te wynalazki oszczędzają nam lub pozbawiają nas, zależnie od przyjętej optyki, tysięcy użytecznych ruchów, dzięki którym moglibyśmy spalić wiele kalorii.

Chcę przez to powiedzieć, że każdej istocie ludzkiej będącej członkiem społeczeństwa konsumpcyjnego – poza wykonującymi ciężkie prace fizyczne robotnikami, których coraz mniej, oraz zawodowymi sportowcami – coraz trudniej będzie uregulować swoją wagę, a presja rośnie, ponieważ zgodnie z zasadami higienicznego stylu życia, wymaganiami kulturowymi i kanonami piękna tycie stało się społecznie i kulturowo niepoprawne.

Protal został obmyślony, by pomóc stawić czoło otyłości, dostosowując się do wszelkich form tej nowej choroby cywilizacyjnej.

Do tej pory Protal opisywany był ogólnie, w sposób ułatwiający zrozumienie jego konstrukcji i objaśniający parametry czasu trwania kuracji i wagi do stracenia.

Teraz zobaczymy, jak można dostosować to ewoluujące narzędzie i używać go zależnie od wieku i etapów życia.

Protal i wiek dziecięcy

Mnogość nieustających pokus żywnościowych połączona z ograniczeniem wysiłku fizycznego ma szczególnie intensywny wpływ na dziecko. W ciągu życia jednej generacji pojawiły się telewizja i gry elektroniczne przygważdżające dziecko przed ekranem, a także różne batoniki, łakocie, cukierki, kruche ciasteczka, kremy czekoladowe tak smaczne i tak umiejętnie reklamowane, że trudno się im oprzeć.

Epidemia otyłości w Stanach Zjednoczonych w latach sześćdziesiątych zaatakowała najpierw dzieci. Dzisiaj wczorajsze grube dzieci stały się otyłymi dorosłymi, a ich liczba w USA jest najwyższa w świecie.

Pediatrzy francuscy też zanotowali zwiastuny tej kulturowej inwazji. Fast foody, pizza, amerykańskie lody, napoje gazowane, batony czekoladowe, popcorn, płatki kukurydziane połączone z „elektronicznym unieruchomieniem" stopniowo podnoszą procent otyłości wśród dzieci.

W przypadku nadwagi u dzieci należy rozróżnić działanie zapobiegawcze – dotyczy dzieci z grupy ryzyka wykazujących bardzo wcześnie i na podłożu genetycznym tendencję do tycia – oraz działanie terapeutyczne u dzieci z orzeczoną otyłością.

Nigdy nie należy zapominać, że w szczególnym przypadku otyłości dziecięcej działanie zapobiegawcze jest dużo bardziej efektywne, bowiem dziecko doprowadzone do otyłości przez całe życie będzie miało trudności z opanowaniem swojej wagi.

A zatem zawsze trzeba się starać, przyjmując stanowczą i mądrą postawę, zapobiec pierwszemu zachwianiu się wagi, by nie pociągnąć dorosłego już człowieka w otchłań niekończącego się i frustrującego pojedynku.

Dziecko z grupy ryzyka

To najczęściej dziecko łakome i mało aktywne, mające otyłych rodziców, bardzo wcześnie wykazujące duży apetyt i tendencję do nadwagi.

W tym wieku nie ma oczywiście mowy o kuracji odchudzającej, a tym bardziej kuracji tak skutecznej i precyzyjnie zbudowanej jak Protal. Musimy jednak poradzić coś matce nieumiejącej opanować skłonności do tycia u dziecka.

Odpowiedź jest jasna i prosta. Należy:
- unikać kupowania i przechowywania w domu wszelkich pokarmów o słodkim smaku poza tymi, które są słodzone aspartamem;
- usunąć z jadłospisu chipsy, frytki oraz wszystkie rośliny i substancje oleiste (orzeszki ziemne, pistacje);
- zmniejszyć o połowę lub o dwie trzecie zużycie tłuszczu (oliwy, masła, śmietany) do sosów i innych potraw.

Dzięki tym trzem elementarnym środkom zaradczym, bardzo skutecznym na dłuższą metę, największe niebezpieczeństwo można odsunąć. Środki te nie podlegają dyskusji, w grę wchodzi bowiem późniejsze zdrowie dzieci zarówno fizyczne, jak i psychiczne.

Konsekwentnie działająca matka powinna więc unikać przechowywania w domu wszelkiego rodzaju cukierków, łakoci, ciastek, czekolady, past i kremów do smarowania czy lodów i wykorzystywać je tylko od święta lub jako nagrody. Jest coraz większy wybór produktów zastępczych, light, konfitur bez cukru, dietetycznych gum do żucia, aromatyzowanego nabiału, czekolad z małą zawartością cukru, budyniów bez cukru i z niewielką ilością tłuszczu, lodów, jogurtów itp.

Będzie również musiała wykazać trochę inwencji i ograniczyć zawartość tłuszczu w vinaigrette, dodawanym do makaronu, i różnych sosach do mięs, ryb i drobiu (zob. polecane przepisy i sosy).

Otyłe dziecko

✓ Wobec początków nadwagi u dziecka poniżej 10 roku życia trzeba przyjąć łagodną strategię, by ustabilizować na obecnym poziomie tę lekką nadwagę i pozwolić zaniknąć jej wraz ze stopniowym wzrostem dziecka. Można zacząć od trzymiesięcznego okresu, w którym zastosujemy trzy wspomniane zasady dotyczące zrównoważonego żywienia dziecka pod względem cukru i tłuszczu.

Jeśli waga nadal będzie wzrastała, mimo zastosowania tych środków, należy przejść do fazy utrwalania wagi z dwoma świątecznymi posiłkami tygodniowo, wykluczając jednak proteinowy czwartek – zbyt intensywny w tym wieku.

✓ W przypadku dziecka powyżej 10 roku życia ze stwierdzoną nadwagą można starać się ją zmniejszyć w łagodny sposób. Ofensywę rozpoczniemy fazą Protal III, oprócz proteinowego czwartku, który zastąpimy dniem proteiny + warzywa. Celem jest utrata wagi, ale bez ryzyka brutalnego traktowania czy zbytniego frustrowania dziecka, mamy bowiem świadomość, że dziecko ciągle rośnie, co pozwoli mu zgubić nadwagę w dodatkowych centymetrach.

Protal i wiek dojrzewania

Dla chłopca dojrzewanie jest okresem o najmniejszej groźbie nadwagi, czasem wzrostu i dużej aktywności, kiedy wydatek energetyczny neutralizuje ewentualne przybranie na wadze.

Inaczej jest w przypadku dojrzewającej nastolatki, przechodzącej przez okres niestabilności hormonalnej, o czym świadczą pierwsze nieregularne miesiączki i mające podłoże hormonalne zaokrąglanie się w kobiecych partiach ciała: ud, bioder i kolan. Tym burzliwym zmianom towarzyszy często nadwrażliwość emocjonalna i kult szczupłości – tak bezwzględnie determinujący wiele zachowań w tej grupie wiekowej.

Nastolatka z grupy ryzyka

✓ Przy lekkiej tendencji do tycia i nieregularnych miesiączkach poprzedzonych syndromem przedmiesiączkowym najlepiej skontaktować się z lekarzem rodzinnym, aby ocenił stan dojrzałości kości i zawyrokował, czego można się spodziewać po trwającym nadal dorastaniu.

✓ Jeśli wzrost nie jest zakończony, najlepiej dostosowany do sytuacji będzie Protal III, zazwyczaj wystarczający do zahamowania umiarkowanej tendencji do tycia, pod warunkiem stosowania go w całości łącznie z proteinowym czwartkiem.

✓ Jeśli proces dorastania już się zakończył i tendencja do tycia nie została opanowana przez poprzednią kurację, należy przejść do złagodzonej diety Protal II, nie wprowadzając diety wyłącznie proteinowej, lecz ograniczając się do diety proteiny + warzywa.

✓ Gdy przybieranie na wadze staje się coraz poważniejsze, należy przejść do fazy Protal II, stosując rytm 1/1, to znaczy jeden dzień czystych protein z następującym po nim dniem proteiny + warzywa, aż do uzyskania wagi poprawnej, ale nie idealnej. Próbując dojść do wagi idealnej, nierealnej lub zbyt trudnej do osiągnięcia, ryzykujemy, że organizm stanie się zanadto oszczędny, a nastolatka zamknięta w kręgu zbyt restrykcyjnego sposobu odżywiania.

Otyła nastolatka

Dla nastolatki powyżej 16 roku życia z orzeczoną otyłością, gdy miesiączki są regularne i nie występują takie zaburzenia żywieniowe, jak bulimia lub zachowania kompulsywne, nadaje się plan Protal w jego normalnym trybie. Zaczynamy od Protal I, stosując go 3–5 dni, a następnie przechodzimy do Protal II o rytmie 1/1, a nawet 5/5, aby uzyskać zachęcający początek, co może trwale wzmocnić motywację.

Jeżeli u nastolatki nastąpił duży spadek wagi, a ma ona genetyczne skłonności do nadwagi, niezwykle ważne jest utrwalenie uzyskanej wagi za pomocą Protal III i skrupulatne stosowanie reguły dziesięć dni diety na każdy utracony kilogram oraz przejście do fazy Protal IV z zachowaniem przez wystarczająco długi czas proteinowego czwartku i owsianych otrąb.

Protal i pigułka antykoncepcyjna

Stosowanie nowoczesnych minipigułek antykoncepcyjnych bardzo obniżyło ryzyko przybrania na wadze prowokowane przez zbyt silne dawki dawnych pigułek.

Niezależnie od tego nawet przy znikomych dawkach pierwsze miesiące wprowadzenia pigułki są często okazją do przybrania na wadze trudnego do zlikwidowania u kobiet, które wcześniej nie musiały uważać na to, co jedzą. Tendencja ta pojawia się przede wszystkim na początku kuracji hormonalnej i stopniowo cofa się po trzech, czterech miesiącach. Jest to krótki okres i warto wtedy przedsięwziąć środki ostrożności.

Zapobiegawczo

Przy wrodzonej lub nabytej tendencji do tycia albo gdy używa się pigułek antykoncepcyjnych o dużej zawartości hormonów prostym i skutecznym środkiem zaradczym jest wprowadzenie fazy Protal IV z proteinowym czwartkiem i owsianymi otrębami.

Jeśli nie przyniesie to żadnego skutku lub okaże się niewystarczające, trzeba zastosować Protal III w całości, wraz z proteinowym czwartkiem.

W przypadku zdecydowanego przybrania na wadze

✓ Przy umiarkowanym przybraniu na wadze należy rozpocząć Protal II, wersję 1/1 (jeden dzień protein / jeden dzień proteiny + warzywa) aż do osiągnięcia początkowej wagi, nie zapominając o przejściu do fazy Protal III (dziesięć dni na każdy utracony kilogram), a następnie Protal IV przez co najmniej cztery miesiące, unikając w ten sposób ryzyka natychmiastowego ponownego przybrania na wadze.

✓ Przy znacznym przybraniu na wadze należy zastosować plan Protal w całości, od etapu I do IV, zachowując proteinowy czwartek przez rok.

Protal i ciąża

Idealne przybranie na wadze podczas ciąży (waga tuż przed porodem) waha się między 8 a 12 kg zależnie od wzrostu, wieku i liczby wcześniejszych ciąż. Przybranie na wadze bywa większe u kobiet z tendencją do tycia.

Różne warianty są łatwe do kontrolowania dzięki różnorodnych możliwościach zastosowania planu Protal.

W czasie ciąży

KONTROLA I ZAPOBIEGANIE. Chcąc zmniejszyć ryzyko przybrania na wadze u kobiet, które bardzo przytyły w czasie poprzednich ciąż, z wrodzonym lub nabytym podłożem cukrzycowym albo z troski o linię, najlepszą strategią zapobiegawczą jest jak najwcześniejsze wprowadzenie fazy Protal III specjalnie przystosowanej do potrzeb ciąży dzięki trzem zaleceniom łagodzącym:

– spożywać dwie porcje owoców dziennie zamiast jednej;
– używać półtłustego dwuprocentowego mleka i nabiału (jogurty i białe serki) zamiast chudego niezawierającego tłuszczu;
– zlikwidować proteinowy czwartek.

NADWAGA POPRZEDZAJĄCA CIĄŻĘ. Jest to przypadek kobiety z nadwagą, która nie zdążyła podjąć wcześniej diety. W tym niepokojącym przypadku, kiedy otyłość może się znacznie powiększyć, najlepszą odpowiedzią jest Protal III wzmocniony przez usunięcie produktów skrobiowych i odświętnych posiłków, z zachowaniem proteinowego czwartku.

W przypadku poważnej otyłości, gdy podczas ciąży lub porodu jest duże ryzyko komplikacji u matki i dziecka, można zastosować fazę Protal II, a nawet Protal I, szczególnie na samym początku ciąży, ale za zgodą i pod nadzorem lekarza. W tym szczególnym przypadku należy rozważyć możliwe korzyści oraz szkodliwość wynikające z aktywnej kuracji zarówno dla matki, jak i dla dziecka.

Po porodzie

To typowa sytuacja, kiedy pozostała pewna liczba kilogramów do zrzucenia, by odzyskać poprzednią wagę.

Każda kobieta powinna jednak wiedzieć, że odzyskanie wagi sprzed ciąży nie zawsze jest łatwe i wskazane, bo sprowadzałoby się do ustawicznej chęci posiadania wyglądu nastolatki.

Opierając się na długoletniej praktyce, mam zwyczaj obliczać prawidłową ewolucję wagi kobiety zależnie od jej wieku i przebytych ciąż. Biorąc za punkt wyjścia *wagę młodej dziewczyny (20 lat)*, zakładam, że *między 20 i 50 rokiem życia średni wzrost wagi oscyluje wokół 1 kg na każde 10 lat i 2 kg na każde dziecko*, co oznacza, że pięćdziesięcioletnia kobieta, która ważyła 50 kg w wieku 20 lat, waży 54 kg w wieku 25 lat po dwóch ciążach, 55 kg w wieku 30 lat, 56 kg, mając lat 40, i 57 kg w wieku 50 lat.

KARMIENIE PIERSIĄ. W tym czasie, niezależnie od nadwagi, nie do pomyślenia jest wprowadzenie jakiejkolwiek ostrej kuracji odchudzającej, bo miałoby to niekorzystny wpływ na wzrost noworodka.

Zaleca się przyjąć dietę podobną do stosowanej w czasie zwykłej ciąży fazy Protal III złagodzonej poprzez trzy zalecenia:
– dodatkowy drugi owoc zamiast jednego;
– użycie półtłustego mleka i nabiału (20%) w miejsce chudych (0%);
– unikać proteinowego czwartku.

KARMIENIE BUTELKĄ. Próby zmniejszenia nadwagi mogą rozpocząć się już po powrocie ze szpitala do domu.

Jeśli nadwaga jest normalna, to znaczy tydzień po porodzie wynosi 5–7 kg, powrót normalnej wagi osiągniemy, stosując Protal II, rytm 1/1, czyli jeden dzień czystych protein z następującym po nim dniem proteiny + warzywa. Kuracja powinna być prowadzona bez przerwy aż do osiągnięcia ustalonej wagi. Nie wolno zapomnieć o przejściu do fazy Protal III, utrwalając wagę podczas dziesięciu dni na każdy utracony kilogram, a następnie do fazy Protal IV i cotygodniowego proteinowego czwartku przez cztery miesiące.

Jeśli nadwaga przekracza normę i tydzień po porodzie wynosi 10–20 kg, konieczne jest zastosowanie planu Protal w całości, zaczynając od błyskawicznego startu zapewnionego przez pięć dni stosowania czystych protein, następnie przejście do fazy Protal II, wersja 5/5, to znaczy pięć dni czystych protein z następującymi po nich pięcioma dniami proteiny + warzywa, Protal III i dziesięć dni na każdy utracony kilogram, w końcu Protal IV, proteinowy czwartek + codziennie otręby owsiane, stosowane przez rok, a nawet dłużej w przypadku osób ze skłonnościami do nadwagi lub o burzliwej przeszłości pod względem odchudzania.

Protal, przekwitanie i menopauza

Zagrożenia wynikające z menopauzy

Okres przekwitania i pierwszych sześć miesięcy menopauzy to bardzo niebezpieczne hormonalne skrzyżowanie, okres w życiu kobiety, kiedy najczęściej zdarza jej się przytyć.

Z powodu wieku, zmniejszenia masy mięśni i produkcji wydzieliny gruczołu tarczycy, wydatki kaloryczne organizmu stopniowo maleją.

W tym samym czasie jajniki przestają produkować jeden z dwóch hormonów, progesteron, powodując zachwianie równowagi hormonalnej, z czym wiążą się nieregularne, spóźniające się miesiączki lub ich brak.

Jako środek rekompensujący to wyczerpywanie się zasobów najczęściej stosowane są progesterony zastępcze, w większości syntetyczne.

Połączenie tych trzech czynników powoduje przybranie na wadze wymykające się zwykłej kontroli odżywiania, jaką większość kobiet narzuca sobie z większym lub mniejszym skutkiem, by utrzymać wagę w normie.

Jesteśmy w centrum przekwitania.

Kiedy jajnik zupełnie wygasa, przestając produkować estrogen i folikulinę, pojawiają się sygnalizujące ich brak uderzenia gorąca. Stajemy wobec stwierdzonej menopauzy i przybieranie na wadze wzmaga się wraz ze zwiększeniem zastępczych dawek progesteronu i estrogenu. Tendencja do tycia przedłuża się aż do zupełnego przystosowania organizmu do zastępczej kuracji hormonalnej, a potem w ciągu kilku miesięcy zanika.

Bilans nadwagi tego burzliwego okresu, trwającego od dwóch do pięciu lat, to dodatkowy ciężar wynoszący zgodnie ze statystykami 3–5 kg, zależnie od zastosowanej kuracji zastępczej i sposobu jej wprowadzania. Ale czasem kobiety ze skłonnościami do tycia i niedoinformowane mogą przytyć 10, a nawet 20 kg.

Hormony pochodzenia roślinnego, rewolucyjne rozwiązanie dla kobiet z grupy ryzyka

Od niedawna istnieje nowa terapia pozwalająca uniknąć przybrania na wadze z powodu klasycznej hormonalnej terapii zastępczej. Alternatywą są substancje roślinne i naturalne ekstrakty z różnych roślin, głównie soi. Yam, czyli chiński korzeń, po okresie przejściowej mody zapoczątkowanej w USA, zdaje się popadać w zapomnienie nawet u swoich promotorów i cieszy się obecnie zainteresowaniem tylko jako składnik kremów kosmetycznych.

Substancje te zbudowane są z molekuł o strukturze tak podobnej do struktury hormonów żeńskich, że mogą częściowo je zastąpić. Z powodu podobieństw formy i efektów nadano im ogólny termin *hormones-like* (ang. jak hormony, podobne do hormonów), a koncentrat sojowy isoflavon nazwano fitoestrogenem.

Roślinne molekuły, mniej aktywne niż hormony żeńskie, ale nietoksyczne, udowodniły skuteczność w działaniu przeciw uderzeniom gorąca. Prowadzone są badania mające na celu potwierdzenie ich zapobiegawczych działań na osteoporozę, choroby serca i układu krążenia, a także na różne rodzaje raka o podłożu hormonalnym, szczególnie raka piersi.

Poza najważniejszym działaniem zapobiegawczym te rośliny i naturalne substancje są nadzieją dla kobiet zbliżających się do wieku przekwitania i menopauzy i bojących się przybrania na wadze. Można przypuszczać, że regularne używanie fitoestrogenu z soi w wystarczających dawkach pozwala uniknąć szczególnie u kobiet z grupy ryzyka przytycia w okresie menopauzy. Należy pamiętać, że większość dawek proponowanych aktualnie w aptekach w postaci pigułek lub kapsułek jest niewystarczająca. Jedynie codzienna dawka zawierająca 100 mg isoflavonu soi (równowartość 200 g tofu) gwarantuje skuteczność, ponieważ estrogeny roślinne są 1000–2000 razy słabsze niż estrogeny kobiety.

Wiele kobiet z dużym problemem w utrzymaniu wagi, starając się wyrównać ekscesy żywieniowe poprzez diety, czuje, że środki dotychczas skuteczne przestają działać, a waga powoli się podnosi. U tych kobiet wprowadzanie klasycznej zastępczej kuracji hormonalnej jest jak iskra w beczce prochu i może spowodować niekontrolowany poślizg. To właśnie w tego rodzaju ryzykownych sytuacjach hormony roślinne mogą okazać się szczególnie pomocne, nawet jeśli w późniejszym czasie względy ginekologiczne narzucą użycie prawdziwych hormonów.

Co ważne soja, w której każdego dnia odkrywa się nowe zalety, jest najbogatszym w proteiny pokarmem roślinnym i jedynym, którego proteiny mają podobną wartość biologiczną do składających się na plan Protal.

Wszyscy zajmujący się tą problematyką podkreślają, że o ile działanie zapobiegawcze soi na niektóre objawy klimakterium, jak uderzenia gorąca czy starzenie się skóry, można natychmiast zauważyć, o tyle jej działanie zapobiegawcze przed rakiem piersi, osteoporozą czy nadwagą wymaga długotrwałego stosowania. To wyjaśnia zadziwiającą odporność na te przypadłości Azjatek, największych konsumentek soi.

Radzę zatem młodym kobietom nabrać nawyku regularnego spożywania soi. Nie kiełków, pozbawionych najważniejszych właściwości, lecz samych nasion, a jeszcze lepiej mleka sojowego lub tofu.

Środki zapobiegawcze

ZWYKŁA MENOPAUZA. Jeśli nie ma specjalnego ryzyka nadwagi i perspektywy kuracji odchudzającej, a chcemy zapobiec zmianie wagi przez zwykłą ostrożność, radzę, przy pierwszych opóźnieniach lub nieregularnych cyklach związanych z przekwitaniem, zastosować plan Protal IV wraz z proteinowym czwartkiem i owsianymi otrębami, co w większości przypadków wystarczy na opanowanie wzrostu wagi. Ta postawa obronna powinna być zachowana podczas całego okresu przekwitania aż do idealnego przystosowania się organizmu do menopauzy, szczególnie przy wprowadzeniu zastępczej kuracji hormonalnej, czyli w okresie, kiedy tracimy kontrolę nad wagą.

MENOPAUZA W GRUPIE RYZYKA. To przypadek wielu kobiet, które zawsze miały problemy z utrzymaniem odpowiedniej wagi i samodzielnie lub z pomocą lekarza próbowały opanować spontaniczną tendencję do tycia. Kobiety te nie bez racji obawiają się niewydolności związanej z pierwszymi objawami menopauzy.

W tym przypadku, jeśli Protal IV okaże się niewystarczający, należy przystąpić do fazy Protal III opartej na diecie proteiny + warzywa oraz owoc, porcja pełnoziarnistego pieczywa, porcja sera, dwie porcje produktów skrobiowych tygodniowo oraz dwa odświętne posiłki, wszystko napędzane siłą, jaką stanowi proteinowy czwartek.

W krytycznych momentach przekwitania, gdy miesiączki spóźniają się albo długo ich nie ma, dokuczają nam długie okresy zatrzymywania wody i ogólnego napuchnięcia, wzdęty brzuch, ociężałe nogi, serdelkowate palce uniemożliwiające zdjęcie pierścionków i bóle głowy, a pierwsze trzy miesiące wprowadzenia zastępczej kuracji hormonalnej różnie rokują, konieczne jest przystąpienie do Protal II w rytmie 1/1, to znaczy jeden dzień czystych protein na zmianę z jednym dniem proteiny + warzywa, co zazwyczaj ureguluje sytuację.

Stwierdzone przybieranie na wadze

NIEDAWNE PRZYBRANIE NA WADZE. Jeśli przybranie na wadze wynika z braku ostrożności, jest niedawne i niegroźne, zaleca się na początek trzy dni Protal I, później Protal II o rytmie 1/1, to znaczy jeden dzień czystych protein z następującym po nim dniem proteiny + warzywa, i zaraz po uzyskaniu pożądanej wagi przejście do fazy utrwalania wagi Protal III, a zakończenie fazą Protal IV, przedłużoną aż do idealnej akceptacji zastępczej kuracji hormonalnej, to znaczy minimum sześć miesięcy.

DAWNA NADWAGA. Przybranie na wadze dotyczące kobiety ze skłonnością do tycia, już z nadwagą lub otyłej, może się okazać bardzo duże i uniemożliwić na jakiś czas jakąkolwiek zastępczą kurację hormonalną. Przy rozpoczętej już kuracji hormonalnej waga może eksplodować. Nie unikniemy wtedy surowości fazy Protal I w całości, zaczynając od pięciu, a nawet siedmiu dni czystych protein, jeśli szkody są znaczne. Później przejdziemy do fazy Protal II w rytmie 5/5, to znaczy pięć dni czystych protein z następującymi po nich pięcioma dniami proteiny + warzywa. Po uzyskaniu założonej wagi stosujemy Protal III wedle reguły dziesięć dni na każdy utracony kilogram, a na zakończenie już do końca życia Protal IV.

Rzucanie palenia a przybieranie na wadze

Liczni palacze i palaczki wstrzymują się przed rzuceniem palenia z uzasadnionej obawy przed reaktywnym przybraniem na wadze. Wielu udało się rzucić nałóg, ale tyjąc w trakcie odzwyczajania się, sięgnęli ponownie po papierosy, wierząc, że nabyte kilogramy znikną. Niestety, bardzo się mylą, a powracając do palenia, tracą korzyść wynikającą z rzucenia nałogu i kumulują kłopoty.

Dodatkowa tusza związana z przerwaniem palenia jest efektem wpływu dwóch skomplikowanych czynników.

Potrzeba kompensacji popycha pozbawionego papierosa palacza do poszukiwania wrażeń z tej samej sfery, zwanych analogicznymi, zapachów, smaków, co pediatrzy i psychoanalitycy grupują pod nazwą wrażeń oralnych w odniesieniu do stadium oralnego pierwszych momentów życia noworodka tak dobrze opisanego przez Freuda i jego następców. Z tej potrzeby kompensowania wyrasta konieczność wkładania do ust i podjadania poza posiłkami wszystkiego, co ma przyjemny i intensywny smak oraz powiększa kaloryczny rachunek.

Do tej sensorycznej potrzeby i do związanych z nią kalorii dochodzi akumulacja kalorii, które do tej pory nikotyna pozwalała spalić.

Połączenie tych dwóch czynników – sensorycznego i metabolicznego – odpowiedzialne jest za przybranie na wadze średnio 4 kg, niekiedy 10, a nawet 15 kg u bardzo uzależnionych palaczy lub osób z tendencją do tycia.

Kilogramy nagromadzone podczas odzwyczajania się od palenia są kilogramami na uwięzi i nie znikną po powrocie do papierosów. Warto zatem chronić tak wielkie osiągnięcie, jakim jest uwolnienie się od niebezpiecznego nałogu nikotynowego.

Trzeba również mieć świadomość, że groźba utycia związana z zaprzestaniem palenia jest chwilowa, trwa około sześciu miesięcy, a konieczny wysiłek, by się jej przeciwstawić, również ma swoje czasowe granice. Po upływie tego czasu rozregulowany metabolizm dostaje zadyszki, poszukiwanie kompensacji oraz sięganie po nią powoli zanikają i kontrolowanie wagi staje się łatwiejsze.

Zapobieganie nadwadze w przypadku palacza z wagą w normie

To prosty przypadek palacza o normalnej wadze, który nie ma żadnych nabytych ani wrodzonych skłonności do nadwagi i nie przechodził żadnej kuracji odchudzającej.

Dla palacza, który wypala mniej niż 10 papierosów dziennie i nie połyka dymu, najlepszym rozwiązaniem jest Protal IV, czyli ostateczna stabilizacja, proteinowy czwartek i 3 łyżki stołowe otrąb owsianych.

Palacz wypalający ponad 20 papierosów dziennie powinien zastosować Protal III podczas czterech pierwszych miesięcy po wypaleniu ostatniego papierosa i Protal IV przez następne cztery miesiące.

Profilaktyka w przypadku palacza ze skłonnością do nadwagi

Jeśli istnieje obawa przybrania na wadze w przypadku nałogowca wypalającego powyżej 20 papierosów dziennie, należącego ponadto do grupy ryzyka cukrzycy, niewydolności oddechowej lub sercowej, zaleca się odstawienie papierosów przy jednoczesnym zastosowaniu Protal II w wersji 1/1, jeden dzień czystych protein na zmianę z jednym dniem proteiny + warzywa, podczas pierwszego miesiąca, kiedy ryzyko przybrania na wadze jest największe. Następnie należy przejść do fazy utrwalania wagi Protal III na pięć miesięcy i zakończyć fazą Protal IV przez minimum sześć miesięcy.

Rzucanie palenia przez otyłego

W tym przypadku ryzyko jest największe i dodatkowe przytycie grozi pogorszeniem i tak już niepokojącej sytuacji. Sprawa jest trudna, bowiem otyłość świadczy o bardzo podatnym na tycie organizmie, który oparł się nawet dużej konsumpcji nikotyny zazwyczaj chroniącej przed zbędnymi kilogramami. Należy zatem oczekiwać eksplozji metabolizmu, podwojonej potrzeby wrażeń smakowych oraz podjadania.

Korzyść wynikająca z przezwyciężenia tych trudności to jednak gra warta świeczki, bowiem rzucenie palenia połączone z utratą wagi uwalniają organizm od podwójnego ryzyka chorób sercowo--naczyniowych i raka płuc.

To trudne przedsięwzięcie wymaga ogromnej motywacji i musi być przeprowadzone pod kierunkiem lekarza i psychologa często zmuszonego przepisywać środki uspakajające, a nawet antydepresyjne, by w ten sposób zamortyzować szok wywołany pozbyciem się dwóch bardzo silnych uzależnień.

Konieczny jest natychmiast całościowy plan Protal w jak najsurowszym wydaniu, zaczynając od Protal I w wersji pięć–siedem dni czystych protein, następnie Protal II, rytm wymienny 5/5, pięć dni czystych protein i pięć dni proteiny + warzywa, potem faza Protal III w celu utrwalenia uzyskanej wagi stosowana przez dziesięć dni na każdy utracony kilogram i na zakończenie – do końca życia – Protal IV.

Kuracja odchudzająca w przypadku przybrania na wadze wskutek zaniechania palenia

Zło już się stało, nie zapobiegliśmy mu w odpowiednim czasie. Jest nim nadwaga u palacza, któremu udało się rzucić palenie, lecz trzeba mu za wszelką cenę pomóc, by wytrwał w swoim postanowieniu.

To przypadek podobny do klasycznego przypadku nadwagi i należy walczyć z nim za pomocą całościowego planu Protal w najsilniejszej wersji, przez pięć dni Protal I, Protal II, rytm 5/5, następnie Protal III i długotrwały, a nawet definitywny Protal IV w przypadku byłego palacza wypalającego ponad 20 papierosów dziennie.